EL RETRATO

CÓMO DIBUJAR ROSTROS Y FIGURAS

GIOVANNI CIVARDI

Giovanni Civardi nació en Milán en 1947. Tras dedicarse a la ilustración y la escultura, desde hace muchos años se interesa por la anatomía para artistas y dirige cursos de dibujo de la figura humana.

Los dibujos reproducidos en este libro representan a modelos que han dado su consentimiento o personas bien informadas: cualquier posible parecido con otros individuos es pura coincidencia.

Editor: Jesús Domingo
Coordinación editorial: Lorenzo Sáenz
Traducción: Joaquín Tolsá

Publicado originalmente en italiano por Il Castello srl, Trezzano sul Naviglio (Milán), con el título de: *Il ritratto. Come disegnare volti e figure*.

La presente versión española es traducción de la 5.ª edición italiana.

Primera edición: 2007
Segunda edición: 2008

Marqués de Urquijo, 34. 28008 Madrid
Tel.: 91 559 98 32. Fax: 91 541 02 35
E-mail: info@editorialeldrac.com
www.editorialeldrac.com

ISBN: 978-84-96777-40-8
Depósito legal: M-45.557-2008
Impreso en Top Printer Plus, S.L.L.
Impreso en España – *Printed in Spain*

ÍNDICE

INTRODUCCIÓN

El retrato es, en su acepción habitual, la representación de los rasgos de un ser humano, es decir, de su rostro o de la figura entera. Siempre ha sido, y es aún, un tema importante en las artes figurativas y caro a los artistas, que han encontrado en él, además de un género profesional bien retribuido y socialmente apreciado por su valor simbólico o conmemorativo, también una oportunidad muy interesante para indagar sobre la condición humana observada desde el punto de vista físico y, sobre todo, psicológico. Es este último punto de vista el que tiende a predominar en los tiempos modernos, ya que la fotografía, como es sabido, ha reducido mucho la función del retrato dibujado y pintado entendido como único medio para reproducir y transmitir los rasgos fisonómicos de un individuo. Pero éste era, evidentemente, tan sólo uno de los aspectos (el "documental") del retrato artístico.

Reflexionando sobre mi experiencia de retratista, ilustrador y profesor, he tratado de simplificar y de compendiar en una visión de conjunto los principales problemas con los que normalmente se topa uno al empezar a afrontar el dibujo de la cabeza "genérica" y, posteriormente, del verdadero retrato parecido.

Algunos temas de especial importancia (por ejemplo: el dibujo de las manos, el retrato de los niños y de los ancianos, el retrato de la figura entera, las "cabezas características", etc.) deberán ser necesariamente profundizados y a ellos se dedican otros volúmenes de esta serie.

He distribuido los breves capítulos y los esquemas ilustrativos según una secuencia que he hallado prácticamente válida para afrontar los primeros pasos de la "técnica" del retrato y lograr pronto algún resultado satisfactorio. Se consideran, por lo tanto, los instrumentos, las proporciones, la anatomía, los detalles del rostro, la composición, la iluminación, el procedimiento de ejecución (insistiendo en la visión "global" de la cabeza).

Es obvio que estos rudimentos técnicos pueden sólo encaminar al lector en sus primeras experiencias y han de entenderse como sugerencias y estímulos a un estudio individual: los desarrollos "artísticos" posteriores dependerán del empeño de observación y de la constancia de ejercicio que se aplicará al dibujar. A tal fin, puede estar justificado, para los primeros dibujos, recurrir a imágenes fotográficas (sacadas por uno mismo o tomadas de periódicos o libros), o bien a dibujos de otros artistas.

Sin embargo, en cuanto uno se sienta seguro al trazar correctamente las líneas fundamentales de la cabeza, le aconsejo intentar dibujar del natural, tomando como modelo a cualquier paciente persona amiga. En la última parte del libro he recogido estudios de retrato que he dibujado en épocas distintas y que pueden sugerir al lector cierto modo de proceder afrontando temas diversos.

I LOS INSTRUMENTOS Y LAS TÉCNICAS

Para dibujar el retrato se pueden emplear los instrumentos más sencillos y conocidos: el lápiz, el carboncillo, el pastel, la pluma y la tinta, la acuarela, el rotulador, etcétera. Cada uno de ellos, sin embargo, producirá efectos diferentes, no sólo en base a los caracteres específicos de materia y de técnica, sino también en relación con las características del soporte sobre el cual se utiliza: papel liso o de grano grueso, cartulina, papel blanco o teñido, etcétera. Los dibujos reproducidos en esta página y en la siguiente han sido trazados recurriendo a algunos instrumentos de uso común, pero adecuados para reproducir eficazmente los complejos matices tonales del rostro y del cuerpo humano.

Pluma, plumilla y tinta china negra sobre papel liso

La tinta la emplean con frecuencia los artistas. Puede extenderse, bien con el pincel, o bien con la plumilla, pero se consiguen efectos particulares empleando, por ejemplo, caña de bambú, plumillas de punta gruesa, plumas estilográficas, estilógrafos, rotuladores, bolígrafos. Las intensidades tonales se gradúan, normalmente, cruzando de forma más o menos tupida los trazos de plumilla y, por eso, es aconsejable dibujar sobre papel o cartulina más bien lisos y de buena calidad, para evitar que la superficie se deshilache y que la tinta se absorba irregularmente.

Lápiz (B y 2B) sobre papel rugoso

El lápiz es el instrumento empleado más habitualmente para cualquier tipo de dibujo y, para la figura humana y el retrato, ofrece especiales características de espontaneidad expresiva y de comodidad de ejecución. Puede usarse para dibujos muy elaborados, o bien para pequeños estudios y breves esbozos de referencia: para estos últimos son adecuadas las minas finas, mientras que para los primeros se pueden elegir grafitos de diámetro mayor y de graduación más blanda. El grafito en barra, de hecho, que hay que manejar insertándolo en portaminas especiales con pulsador, e igual que los lápices de grafito (es decir minas de grafito recubiertas de madera), se gradúa según su consistencia: desde 9H, muy dura, que realiza trazos tenues y pálidos, hasta la 6B, muy blanda, que realiza fácilmente trazos gruesos y oscuros.

Carboncillo en barra sobre papel

El carboncillo es, quizás, el medio ideal para los estudios de figura del natural, porque se controla muy bien en la aplicación de los tonos y permite lograr también una buena nitidez en los detalles: de todos modos, debería utilizarse con "soltura", concentrando la atención sobre la consecución global de las masas tonales y volumétricas. De este modo puede expresar sus mejores cualidades de instrumento versátil y sugerente. Se puede usar tanto el carboncillo en barra como el lápiz de carboncillo, prestando atención, en todo caso, a no ensuciar la lámina. Los trazos de carboncillo se funden y se matizan o difuminan frotando ligeramente, por ejemplo con un dedo, y los tonos se pueden atenuar presionando sobre la superficie con una goma blanda (goma de pan). El dibujo acabado debe protegerse rociándolo con fijador.

Acuarela monocromática sobre papel semirugoso

La acuarela, las tintas hidrosolubles, la tinta china diluida en agua, son muy adecuadas para el estudio de la figura humana, si bien se acercan más a la pintura que al dibujo, dado que se aplican con pincel y exigen una visión tonal sintética y expresiva. Para los rápidos estudios del natural se pueden utilizar las barras y lápices de grafito y los lápices acuarelables, cuyos trazos se funden fácilmente pasando sobre ellos un pincel blando empapado en agua. En ese caso es preferible usar cartulinas de mucho gramaje o cartones, para que la humedad no ondule la superficie y la haga irregular.

Pluma y tinta, acuarela, pastel blanco sobre papel de color

Las técnicas "mixtas" consisten en el uso de diferentes instrumentos para realizar un dibujo y para buscar efectos complejos e insólitos. Se trata siempre de medios expresivos "gráficos", pero su aplicación compleja requiere un buen control y buen conocimiento de los instrumentos, con el fin de evitar resultados confusos y de escaso significado estético. Las técnicas mixtas son muy eficaces si se emplean sobre soportes de grano grueso y de color o, en todo caso, de tonalidades oscuras. Las combinaciones técnicas son muchas; por ejemplo: acrílico, pluma y tinta, y témpera blanca; acuarela, carboncillo y lápices de grafito; etc.

2 CONSIDERACIONES PRÁCTICAS

En estas páginas iniciales me parece útil señalar muy brevemente algunas consideraciones relativas a la "práctica" del retrato. En capítulos posteriores se desarrollarán algunos de estos temas con la ayuda de esquemas y ejemplos gráficos.

• **Los tipos de retrato.** La gran variedad de posturas que el ser humano puede asumir y la riqueza psicológica que caracteriza cada personalidad inducen al artista a valorar la "pose" que sugerir al modelo para que estos elementos se manifiesten del modo más conveniente para lograr el parecido del retrato. Además, cada individuo posee características particulares de postura y de movimientos habituales que le son propios y se vuelven significativos de su "ser". Por otra parte existen actitudes de relación exterior, por así decir, y de convención social que permiten insertar al sujeto en la profesión y en el "estatus" que le atañen y a los cuales aspira. Se pueden distinguir, por tanto, dos tipos de retrato: "formal", en el cual la pose del sujeto sigue esquemas tradicionales, transmitidos por la historia del arte, muy cuidados en la composición, en la situación ambiental y en la elección de los elementos decorativos, a veces simbólicos; "no formal", en el cual la pose del modelo es espontánea porque se le capta en una actitud casual o mientras está concentrado en el desarrollo de actividades acostumbradas en su entorno habitual. Es una manera eficaz y moderna de retratar a las personas que deriva de la práctica de la fotografía "instantánea" y requiere mucha habilidad y buen gusto por parte del artista. Pertenecen a esta categoría también los retratos de "expresión", es decir, aquellos en los que el sujeto es captado, por ejemplo, mientras sonríe o está realizando un movimiento.

• **El encuadre.** Sea cual sea el tipo de retrato que pretendamos hacer, debemos elegir también cómo representar el tema: pode mos, en efecto, dibujar sólo la cabeza (o sólo una parte del rostro), o bien toda la figura. En muchas circunstancias puede ser más útil, para la expresividad del retrato, dibujar sólo una parte de la figura abarcando, por ejemplo, además de la cabeza también los hombros, el tórax y las manos. En estos casos, haga numerosos bosquejos para encontrar la mejor actitud (v. pág. 24), para realizar una composición eficaz, bien equilibrada, no "monótona". Evite dispersar el interés visual de los futuros espectadores del retrato y tenga presente que el punto focal deberá de todos modos ser el rostro y, sobre todo, los ojos. Observe que las manos pueden ser tan expresivas como el rostro, tanto para el "gesto" como para la forma y el papel que desempeña en la composición. Por eso, si reconoce usted "carácter" en las manos de su modelo, no dude en incluirlas en el dibujo.

• **Los temas.** Retratar a un ser humano requiere no sólo la capacidad de captar y dibujar el parecido, sino también de sugerir el carácter y el estado de ánimo del modelo: en eso consiste la calidad artística del retrato. Al respecto puede ser útil hacer algunas consideraciones relativas a los temas que frecuentemente le tocará dibujar: recuerde que el rostro de todas las personas está amparado jurídicamente ("derechos de imagen"), y por tanto solicite siempre a su modelo la autorización para retratarlo o para exponer, eventualmente, los dibujos que haya usted realizado.

- EL NIÑO (v. pág. 47). La cabeza del niño es proporcionalmente más gruesa que la del adulto, sobre todo en el cráneo, que es mucho más voluminoso que la cara. Los ojos y las orejas resultan grandes; la nariz, en cambio, es pequeña y respingona; la osamenta es menuda, por lo que le será útil a usted la fotografía sacada por sorpresa, para evitar "muecas". Las facciones delicadas de los niños requieren una iluminación débil y difusa: una fuerte luz artificial o el sol directo crean sombras muy marcadas que pueden alterar la fisonomía y hacer que el niño entrecierre los ojos.

- LA MUJER. En el retrato femenino, junto a la búsqueda de la personalidad de la mujer elegida se sitúa también la tendencia a valorizar el aspecto estético. Elija, preferentemente, poses informales y espontáneas para las jóvenes y actitudes más austeras y serenas para las mujeres maduras: evite, de todos modos, hacer asumir posiciones rebuscadas o excesivamente "teatrales". En muchos casos puede ser útil dibujar la figura entera de manera que el atuendo y el entorno colaboren en reflejar con eficacia la personalidad de la mujer retratada.

- EL HOMBRE. El retrato masculino es, por tradición, más bien formal, representando todavía la imagen "oficial" ligada, más que a los rasgos fisonómicos, también a la posición social del sujeto. A veces la iluminación lateral, creando contrastes interesantes, ayuda a caracterizar los rasgos somáticos y los volúmenes del rostro masculino. Los sujetos jóvenes se representan mejor si se captan en actitudes y expresiones espontáneas, mientras que para los hombres maduros son adecuadas poses más compuestas y "dignas". Evite que el modelo cruce los brazos sobre el pecho o se muestre autoritario y "antipático".

- EL AUTORRETRATO (v. pág. 44). Casi todos los artistas han dibujado, pintado o esculpido su propio retrato: si lo hace también usted descubrirá que es una práctica muy provechosa para mejorar sus capacidades como retratista. Póngase ante un espejo y estudie la imagen reflejada probando diferentes iluminaciones y actitudes y, después, elija la posición que le resulte más cómoda y en la que se "reconozca" plenamente. Siga el procedimiento que indico en pág. 32.

- EL ANCIANO. Los ancianos, tanto hombres como mujeres, son muy interesantes de dibujar porque su rostro, marcado por el transcurso del tiempo y caracterizado por las expresiones habituales, relata una "historia" de vida y de experiencia. Por este motivo es fácil captar en ellos, más que en los jóvenes, los rasgos fisonómicos y obtener un retrato parecido. Elija poses adecuadas a la sabiduría y a la tolerancia que la edad avanzada debería aportar.
Evite la iluminación fuerte y directa del modelo: aunque sea efectista, puede conducir fácilmente a dibujar "cabezas características" en vez de retratos y puede acentuar desagradablemente las irregularidades cutáneas. Observe, mejor, algunas modificaciones "anatómicas" en la cabeza del anciano: arrugas sobre la frente, en los ojos y la boca, sobre el cuello; encanecimiento y clareo del cabello; depresión de los globos oculares; alargamiento de las orejas; etcétera.

• **Las dimensiones del dibujo.** En el retrato dibujado, el rostro debería tener dimensiones no superiores a los dos tercios del real, y ello para evitar que se alteren las proporciones. Pueden usarse láminas de 40 x 50 cm, como dimensiones máximas, para el retrato de la cabeza sola, y de 50 x 70 cm para la figura entera. Tenga cuidado de que el rostro no quede precisamente en el centro de la lámina, sino ligeramente desplazado a un lado y hacia arriba (v. pág. 24).

• **La elección de la pose** (v. pág. 25). Normalmente se entiende por "retrato" el dibujo o pintura que reproduce la cabeza y los hombros, es decir, el "busto", pero podría comprender los brazos y las manos, o bien toda la figura.
Si dibuja usted del natural, haga lo posible para que el modelo esté sentado en una actitud natural y cómoda, que su rostro se halle aproximadamente a la altura del de usted y que la expresión sea relajada, pero exprese claramente su carácter de manera que pueda usted captar también el "parecido psicológico" además del físico. Conviene elegir una posición que destaque las características somáticas del sujeto, poniéndose el dibujante aproximadamente a un par de metros de distancia, para reducir los efectos de escorzo: en general, la posición de tres cuartos se considera la más eficaz, pero también el perfil o la visión anterior pueden ser interesantes.

• **La iluminación** (v. pág. 30). Debería ser levemente difusa, provenir de una sola fuente luminosa (ventana, lámpara), un poco desde arriba y más bien lateralmente. Así se resaltarán los rasgos del rostro, pero de manera "suave", sin que se formen feas sombras bajo la nariz, debajo de los labios y en torno a los ojos. Evite la luz artificial intensa (por ejemplo, la de un reflector) y también la solar directa que crean, precisamente, estos efectos; acentúan todas las mínimas irregularidades cutáneas y reducen la delicadeza del modelado. Además, fuerzan al modelo a contraer inevitablemente la musculatura facial, envarándose en una expresión poco natural.

• **La indumentaria.** Sobre todo en el retrato de la figura entera, la ropa tiene una notable importancia, tanto por su función compositiva y estética como porque puede dar información respecto a la personalidad, la posición social y la actitud emotiva del sujeto, pero también la época y el ambiente. Deje, por tanto, que el modelo elija libremente cómo vestirse y limítese a sugerir prendas que, por la forma de llevarlas y por su disposición, sean útiles para una composición eficaz del dibujo. Tenga cuidado con la disposición de las arrugas de las telas y tenga presente que varían de aspecto dependiendo de que el tejido sea ligero y blando (se forman muchas pequeñas arrugas) o pesado y rígido (se forman pocas arrugas gruesas), pero en ambos casos se irradian desde la cima de los "centros de tensión": hombros, codos, rodillas, etc. Dibuje sólo las arrugas más importantes y significativas para la dirección y el volumen, y pase por alto las menores, que pueden crear confusión. En algunas circunstancias, una desnudez parcial del cuerpo (los hombros, el pecho o la espalda, por ejemplo) puede valorizar el retrato de mujeres con personalidad particularmente rica e intensa (v. pág. 56).

• **El pelo.** Los cabellos (en su conjunto y en relación con el color, con la cantidad del "corte") son esenciales para caracterizar un rostro: el dibujante puede valerse de su forma para "componer" mejor el retrato, atenuando o exaltando, por contraste, los rasgos fisonómicos del modelo. Si dibuja mujeres (cuyo pelo es normalmente abundante), prefiera cabelleras sencillas, ordenadas, de corte sobrio. El pelo hay que tratarlo como "masa": capte su color y su volumen global y trate de determinar los mechones de mayor importancia. De éstos valore las zonas de sombra, las iluminadas, las líneas de separación y pase por alto los pequeños reflejos insignificantes y por supuesto cada uno de los cabellos: bastarán pocos trazos sutiles y nítidos para sugerirlos. Use un lápiz más bien blando y realice con decisión trazos amplios, también en diversas direcciones si quiere efectos insólitos de "textura". Ponga mucha atención al dibujar la línea, irregular y difuminada, que describe la unión de los cabellos, sobre todo sobre la frente y en las sienes.

• **El fondo.** El retrato requiere un telón de fondo sobrio y discreto, dibujado con tonos que no contrasten excesivamente entre sí y empobrezcan la fisonomía del sujeto. Prevea desde el inicio si será adecuado un fondo claro (el blanco del papel, por ejemplo), o bien uno oscuro. En algunos casos, el fondo puede también representarse por el entorno en que se encuentra el sujeto (su lugar de trabajo, su casa, un jardín, etc.): trátelo como si fuese un paisaje o un "interior", procurando, no obstante, que no predomine sobre el rostro o sobre la figura.

• **Cómo captar el parecido.** Como sabemos, retratar a una persona significa percibir el aspecto físico y el aspecto psicológico del modelo. Para lograr el parecido físico (v. pág. 32) cuide en especial la forma global de la cabeza (dibujando "de lo general a lo particular") y valore con exactitud las proporciones de la figura tanto en el conjunto del rostro como entre los elementos que lo componen (ojos, nariz, labios, etc.). Para lograr el parecido "psicológico", dialogue con su modelo, trate de intuir su carácter, sus preferencias, sus hábitos, observe el ambiente en que vive y trabaja. Naturalmente no siempre es posible todo eso, pero sería muy útil para sugerir la pose más adecuada y qué aspectos de carácter conviene acentuar o sobre los que, en todo caso, llamar la atención.

• **Recursos técnicos.**

- La fotografía.
Es útil para registrar las actitudes espontáneas y fugaces del modelo, a fin de disponer de un documento de consulta en el caso de que no sea posible organizar sesiones de posado y para retratar a niños.
Realice usted mismo las fotografías que le hagan falta (actualmente las máquinas automáticas facilitan esta tarea incluso a quien no es experto), ya que deben valer como referencias y no como modelos que copiar pasivamente. Tenga en cuenta las deformaciones de la perspectiva y, para evitarlas o reducirlas, no se acerque demasiado a la persona. Use, preferentemente, la iluminación natural, para no tener que recurrir al *flash*, cuya luz no es adecuada para el retrato.

- Los bocetos.
Habitúese (sobre todo si trabaja del natural) a hacer numerosos dibujos pequeños en los cuales estudiar únicamente las líneas generales del rostro o de la figura cuyo retrato quiere hacer. Analice la mejor composición, el juego de luces más adecuado, las dimensiones más convenientes, etc. "dando vueltas" al modelo. Estos bocetos, aunque realizados rápidamente, deberían requerir un esfuerzo de atenta observación, casi un esfuerzo "exploratorio" de las posibilidades estéticas que ofrece el modelo: de ellas puede depender el éxito del retrato. Después de un poco de experiencia en el dibujo del rostro, le apetecerá tratar de pintarlo; entonces le será útil realizar un estudio preparatorio, más elaborado que los bocetos, en el que resolver los eventuales problemas estéticos y en el que anotar todas las informaciones que le servirán para la obra definitiva.

- La ampliación.
Ya piense hacer un dibujo preciso o quiera tratar de pintar un retrato en color, le será necesario trazar sobre el soporte definitivo (papel, tela, cartón, etc.) las líneas fundamentales desde las que proseguir en la elaboración de la obra. Para este objetivo puede valerse, al menos las primeras veces, de algún recurso para ampliar sin fatiga y hasta las dimensiones deseadas el boceto o directamente la fotografía. Se emplean los conocidos proyectores para diapositivas (agrande la imagen proyectándola sobre el soporte y trace en éste los contornos principales del rostro o de la figura), o bien el epidiascopio o episcopio, un instrumento óptico mediante el cual se proyectan, aumentadas, imágenes que aparecen sobre soportes opacos (impresas, fotográficas, pequeños dibujos o bien fotocopias "reducidas" de dibujos y pinturas, etc.). Son recursos prácticos, casi "trucos", que pueden resultar incluso nocivos para el crecimiento "artístico" de un dibujante si se limita a depender de ellos. Más correcto, en cambio, es el método de la "cuadriculación", cuyo procedimiento es conocido también a nivel académico: hay que trazar una cuadrícula sobre la imagen a aumentar (dibujo o fotografía) y después transferir la misma retícula, con el mismo número de cuadrados, pero más gruesos, sobre la superficie más amplia. Será fácil, de este modo, dibujar fielmente y aumentados los trazos que se ven en cada uno de los cuadrados.

- El entorno de trabajo.
Si dispone de estudio propio o, al menos, de una habitación del piso en el que viva y tiene intención de dedicarse intensamente al retrato, le podrán resultar útiles algunos accesorios de decoración. Por ejemplo: una silla, un sillón o un pequeño sofá sobre el que hacer posar al modelo en actitud cómoda y relajada; una lámpara que permita la regulación de la intensidad de luz, para iluminar adecuadamente al modelo; un aparato de radio o un pequeño televisor para aligerar al modelo (y a usted) la fatiga del posado. Acuérdese, con este objeto, de conceder frecuentes pausas y aprovechar estos intervalos para estudiar a su modelo en expresiones y actitudes diversas.
En estudio puede dibujar colocando el soporte sobre un caballete vertical o sobre el plano reclinable de una mesa de dibujo, pero, más frecuentemente, le bastará apoyar sobre sus rodillas una tablilla rígida (de madera, cartón o conglomerado) de unos 50 x 60 cm sobre la cual habrá dispuesto el bloque de las láminas de papel. Este sencillo equipo, completado con sus instrumentos preferidos de dibujo, le será útil para trabajar al aire libre, en lugares públicos o para ir (y espero que le suceda pronto) a casa de alguien que le haya encargado un retrato.

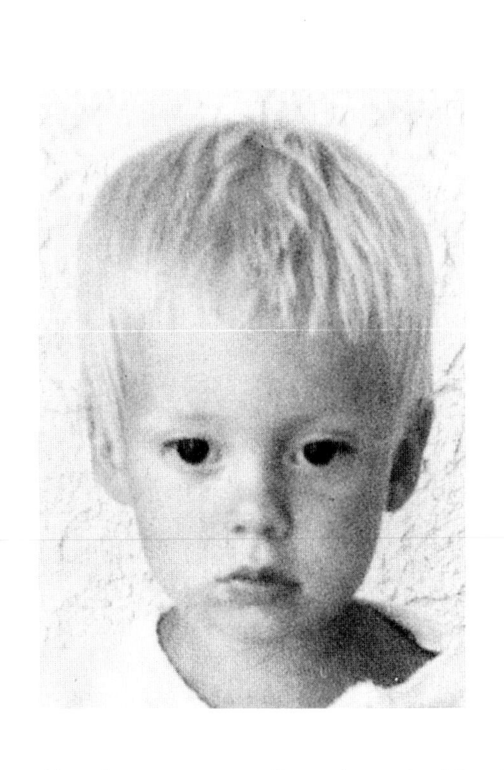

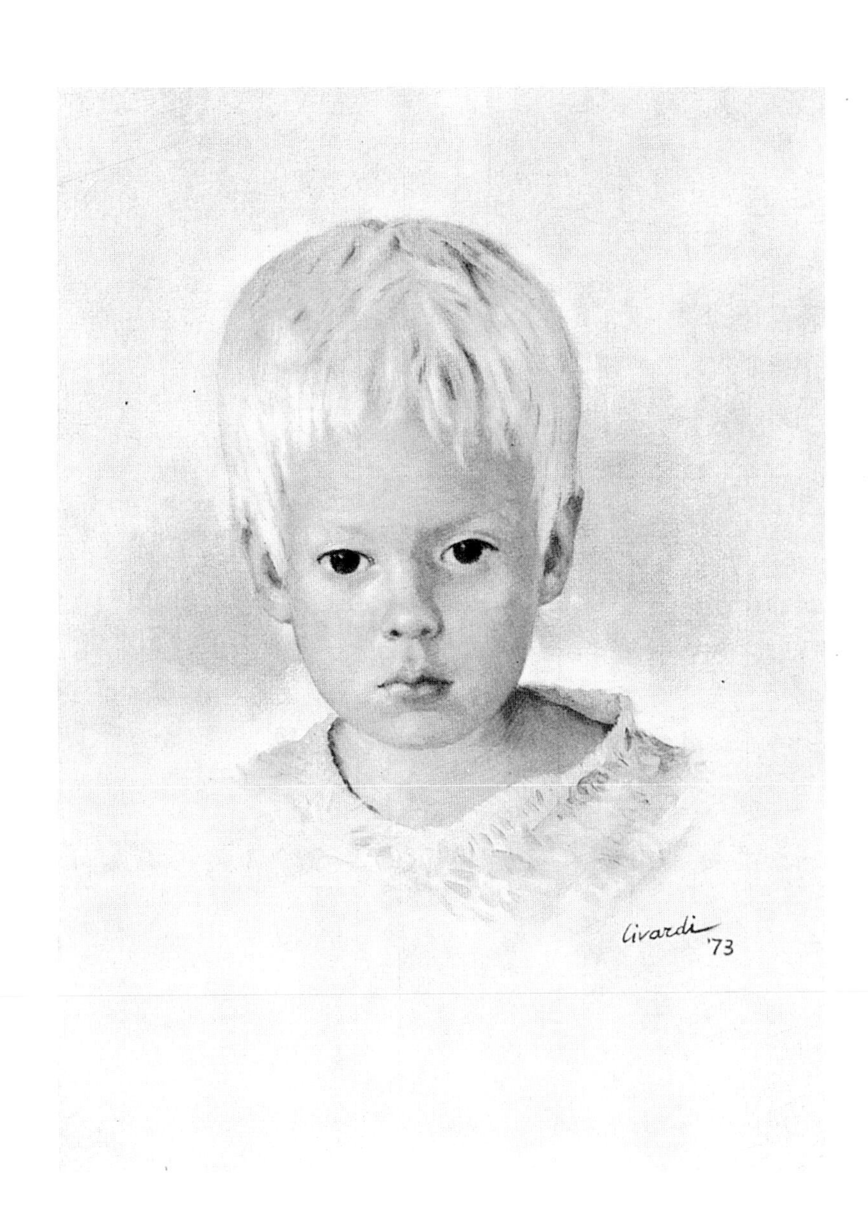

Estudio para retrato, óleo sobre tela, 30 x 40 cm.

Junto al cuadro se reproduce también la fotografía de la que me serví para el retrato, realizado por encargo y en ausencia del pequeño modelo. Puede ser útil, examinando atentamente las dos imágenes, notar en qué medida se han mantenido, acentuado u omitido en el dibujo las "informaciones" fotográficas.

3 PROPORCIONES, PERSPECTIVA Y ESQUEMAS CONSTRUCTIVOS DE LA CABEZA

Proporciones

Cuando se dibuja la cabeza humana es necesario vigilar que las proporciones, es decir las relaciones dimensionales entre los diversos elementos constitutivos (ojos, nariz, labios, etc., que examinaremos uno por uno más adelante), se indiquen de manera correcta y precisa. Naturalmente, las cabezas son muy variadas en cuanto a dimensiones y a la combinación de los caracteres, pero todas pueden reducirse a un esquema proporcional que ayude a simplificar sus formas, a reconocer su peculiar aspecto tridimensional, a colocar los detalles en su posición exacta y en su justa relación. Al dibujar un retrato hay que tratar de prestar mucha atención a la estructura global de la cabeza y a valorarla en sus caracteres generales, porque es sobre todo de ellos de lo que depende un buen parecido con el modelo. Los meros detalles, aunque se reproduzcan minuciosamente, si se inscriben en un contexto general poco preciso, conducen casi siempre a un retrato vago e insatisfactorio.

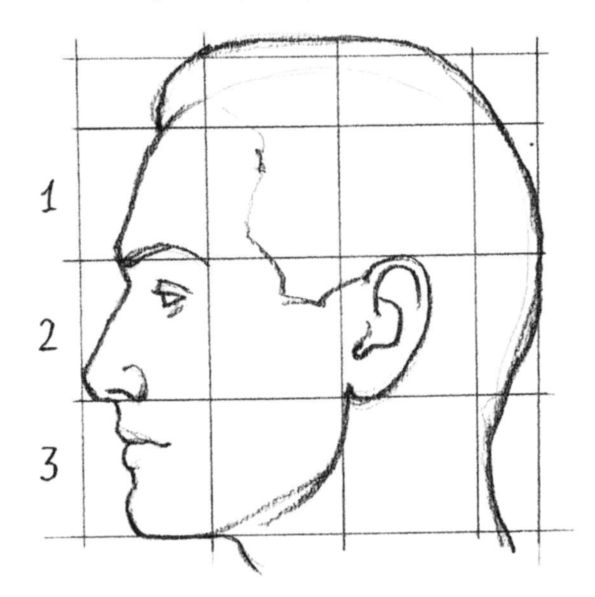

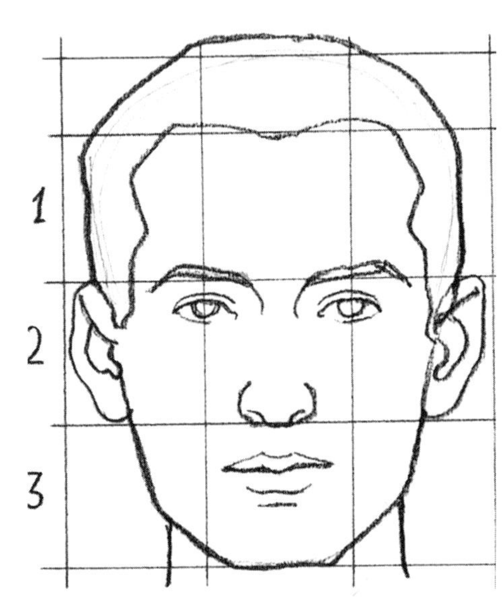

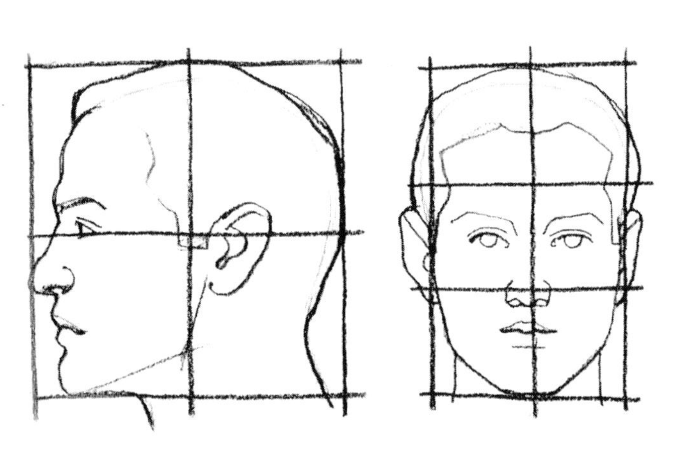

Los esquemas aquí reproducidos, si se estudian con atención, proporcionarán algunos elementos sencillos y esenciales de referencia y de proporción de una cabeza "típica" vista en las proyecciones frontal y lateral: compárelos con los que reconozca sobre su propio modelo y valore si se corresponden o si difieren. La altura del rostro es divisible en tres porciones de igual medida, correspondientes a la altura de la frente (hasta la raíz del cabello), de la nariz y de la parte inferior de la cara. Aprecie, además, que uniendo tres puntos situados sobre la raíz de la nariz, sobre el mentón y en el ángulo de la mandíbula (junto al lóbulo de la oreja), se describe un triángulo equilátero. La misma figura se obtiene uniendo los ángulos externos de los ojos con la base del labio inferior. La anchura del ojo visto frontalmente es útil para medir la distancia entre los ojos (según una vieja fórmula académica: "entre ojo y ojo cabe un ojo") y la anchura de la base de la nariz a nivel de las fosas nasales. Observe que la cabeza, vista desde arriba, tiene forma oval, ensanchada posteriormente.

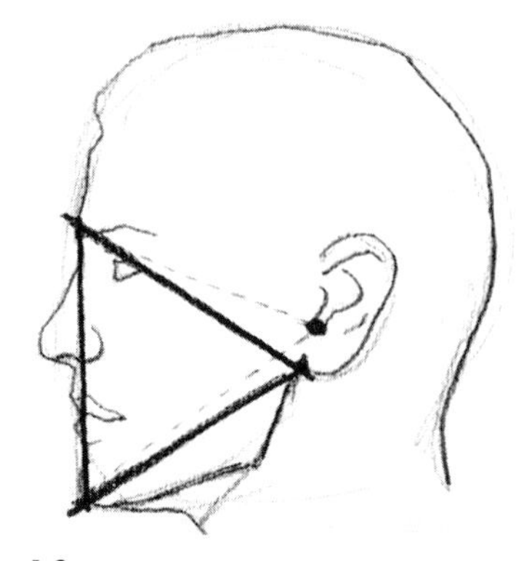

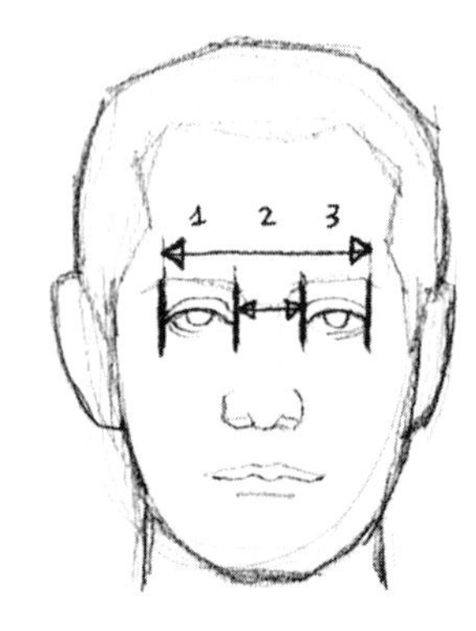

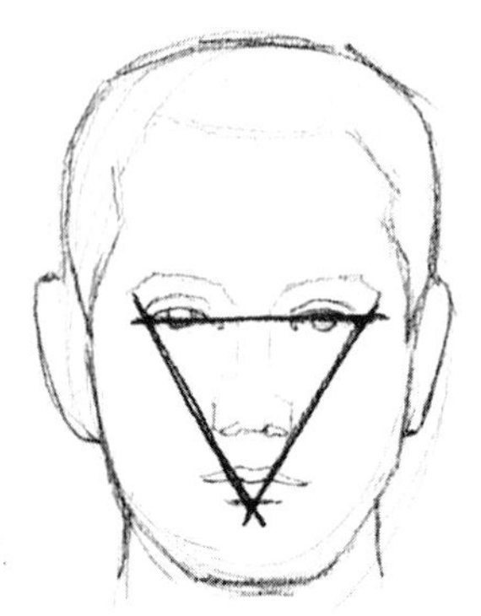

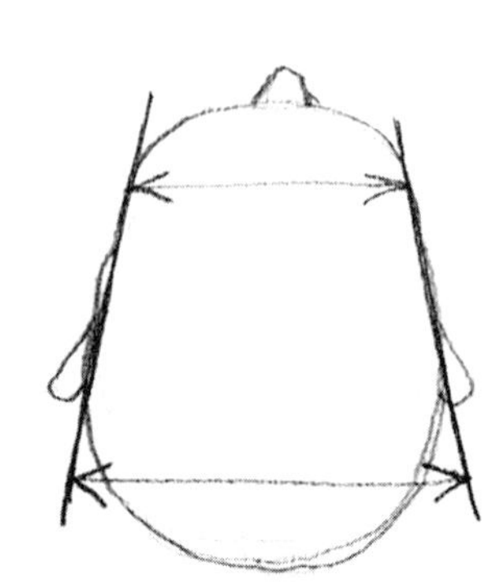

Perspectiva

La perspectiva es un método gráfico idóneo para representar, sobre una superficie plana, la profundidad del espacio. Por tanto, para reproducirla correctamente, incluso la cabeza requiere dibujarla (como cualquier objeto) teniendo en la debida consideración las reglas de la perspectiva.

Los esquemas reproducidos abajo me parecen suficientes para recordar algunos principios básicos, como la línea de horizonte, el punto de vista y los puntos de fuga.

Si se imagina la cabeza inscrita en un tetraedro cuyas aristas rocen sus puntos más salientes, resultará fácil "poner en perspectiva", con una discreta aproximación, los detalles del rostro. Después podrá realizar un estudio más preciso considerando la cabeza "geometrizada" en el ovoide y en el cilindro (v. esquemas en pág. 12).

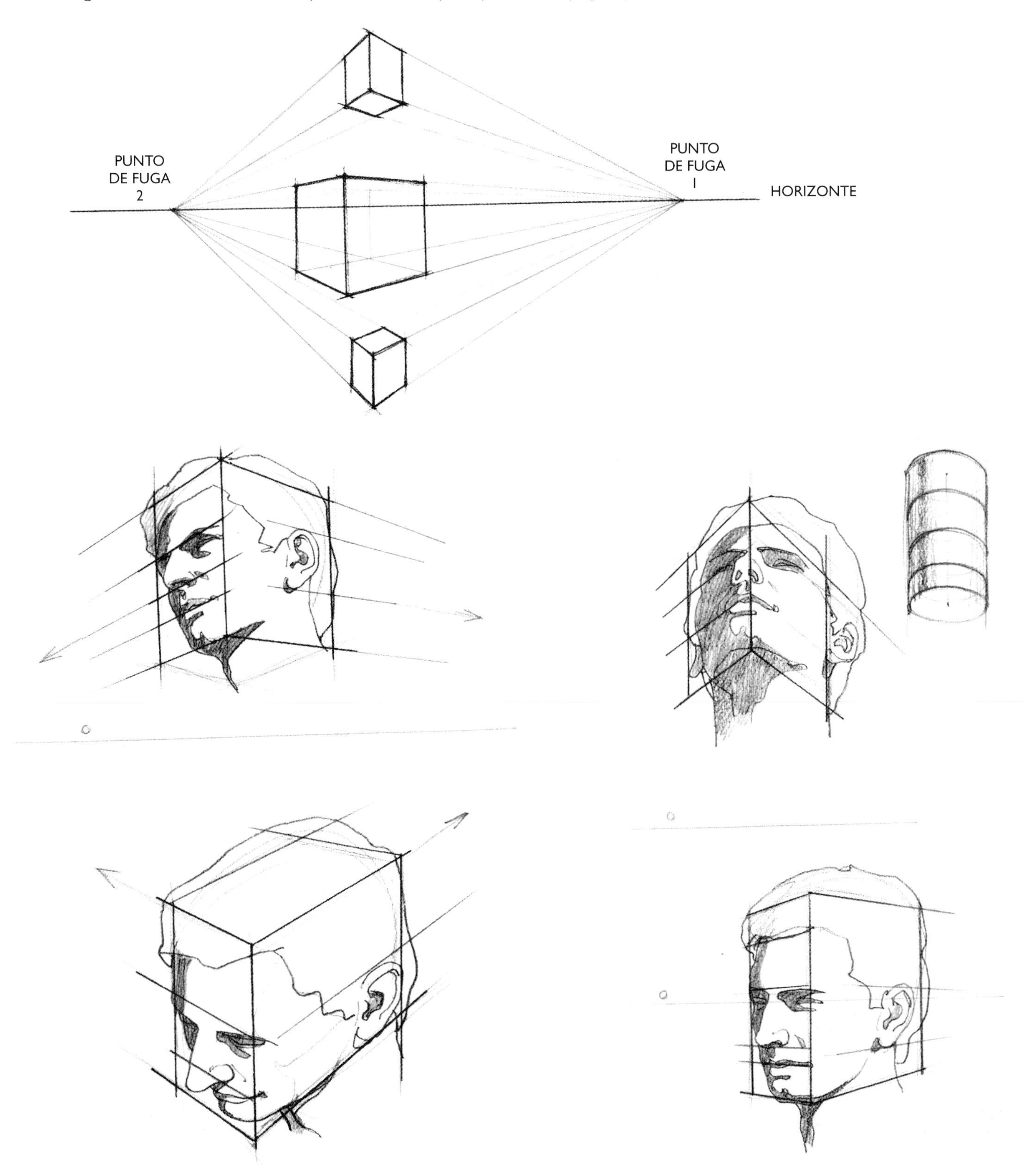

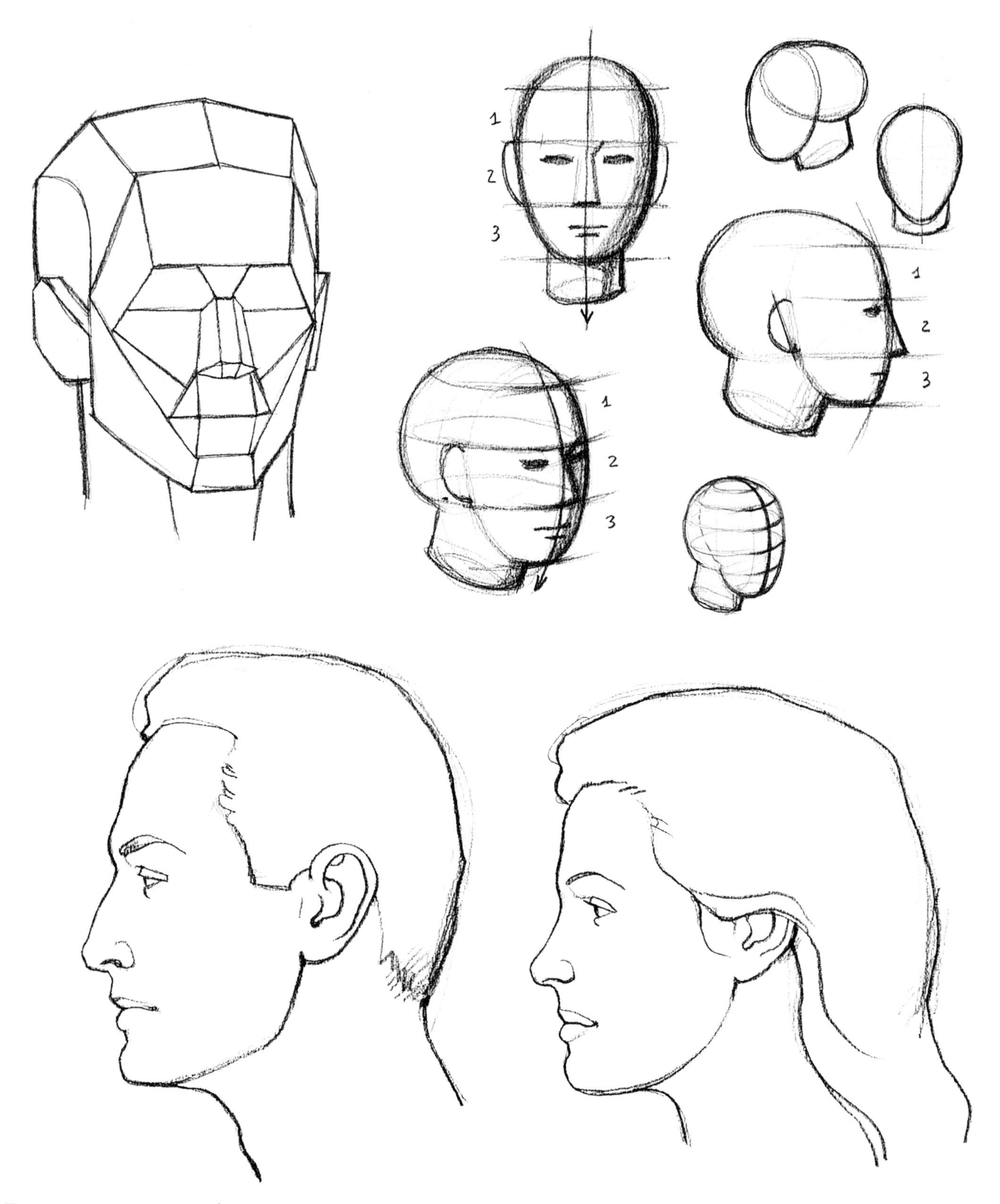

Esquemas constructivos

La cabeza puede asimilarse a la forma geométrica del ovoide, hecho que, al menos en los inicios, simplifica el modo de dibujarla, tanto desde el punto de vista de las proporciones como del de la luz y las sombras. Observe cómo se superponen los dos ovoides que representan la cara y el cráneo. Sin embargo, la forma generalmente redondeada de la cabeza puede subdividirse en áreas aplastadas que, en su conjunto, describen los "planos de superficie", útiles para modelar sintéticamente sus luces y sus sombras. Ejercítese, trazándolos sobre algunas fotografías que reproduzcan cabezas en distintas posiciones, en reconocer esquemas parecidos a los indicados en esta página. Cuando se dispone uno las primeras veces a dibujar una cabeza humana, es decir, una forma muy compleja, se encuentran desde luego grandes dificultades, no sabiendo por qué parte comenzar. Un modo tradicional y escolástico, pero muy útil, es el indicado en estas páginas y desarrollado más ampliamente en el capítulo 12 (v. pág. 32). Recuerde que en el retrato es esencial, antes de nada, captar exactamente las características globales individuales de la cabeza del modelo y, después, estudiar las relaciones y las peculiaridades de los detalles.

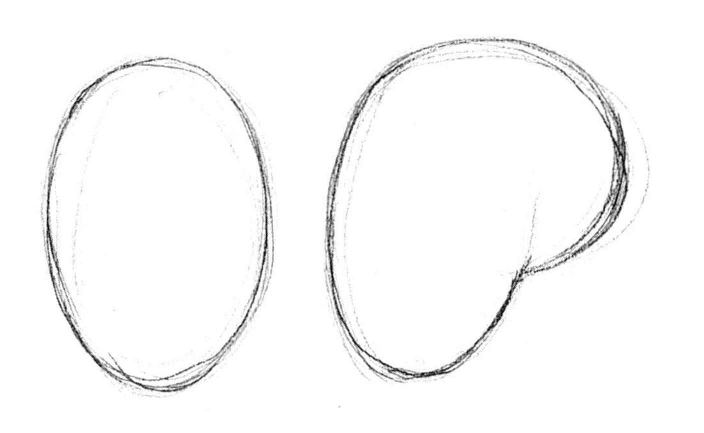

FASE 1

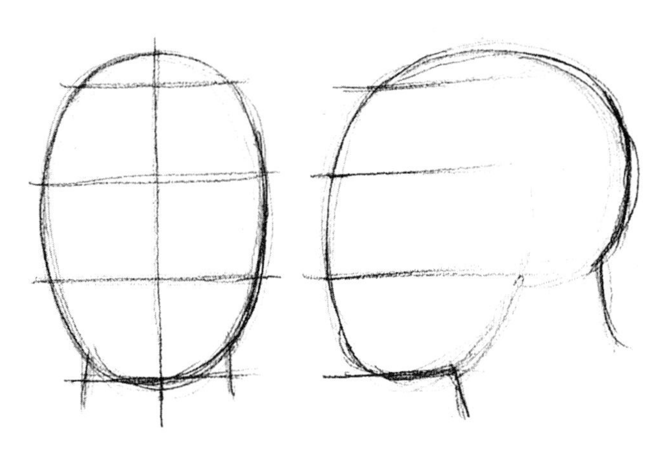

FASE 2

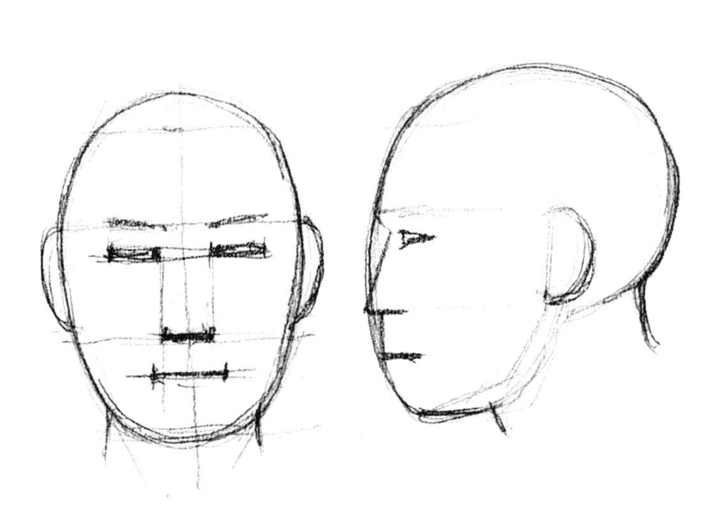

FASE 3

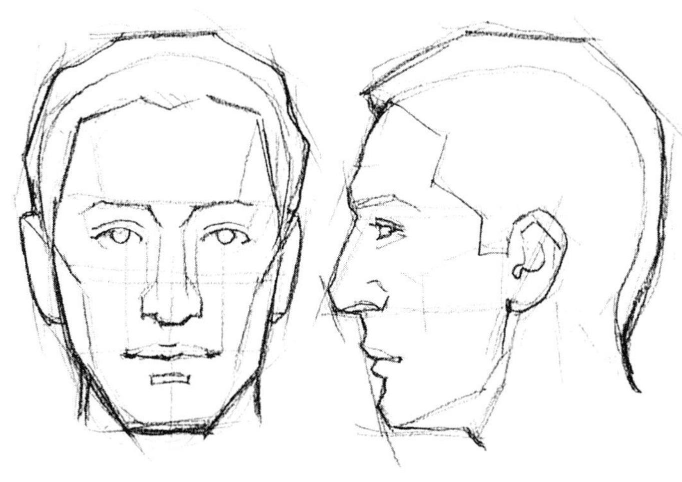

FASE 4

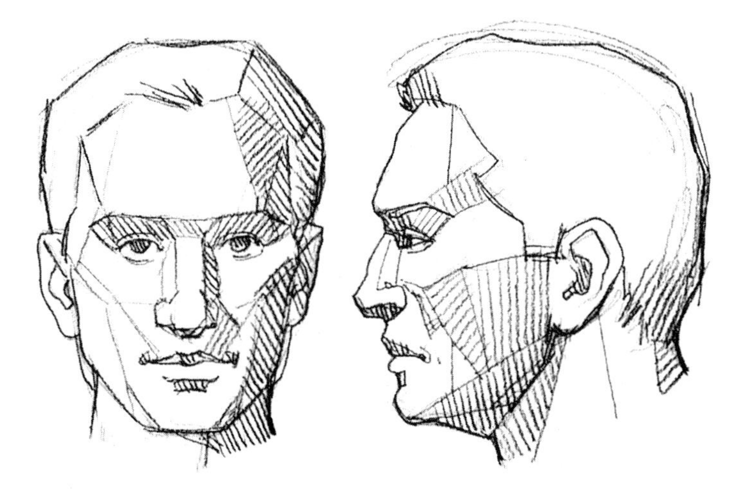

FASE 5

En estos esquemas, limitados a las proyecciones frontal y lateral de una cabeza masculina, he ejemplificado algunas fases sucesivas de ejecución:

Fase 1

Delinear en la lámina la zona que se prevea que será ocupada por la cabeza: trazar una sencilla línea oval.

Fase 2

Indicar las proporciones mediante cuatro líneas paralelas horizontales aproximadamente equidistantes para sugerir las tres partes en las cuales puede dividirse la cara.

Fase 3

Localizar con atención la posición de los ojos, la nariz, los labios y las orejas, y medir las distancias relativas.

Fase 4

Profundizar en la búsqueda de las relaciones entre los elementos de la cabeza, indicándolas en los "planos", en el pelo, etc., aproximándose gradualmente a las formas naturales.

Fase 5

Proseguir con la elaboración valorando también los efectos de la iluminación, es decir, aplicando la técnica del "claroscuro".

4 ANATOMÍA

Un conocimiento esencial de la anatomía de la cabeza humana y de las regiones vecinas (y, si es posible, también de las manos) es útil para una plena comprensión de las formas externas aunque, obviamente, por sí sola no es suficiente para garantizar el buen resultado de un dibujo.

Los huesos

El esqueleto de la cabeza determina en gran medida su morfología externa y puede descomponerse en dos partes, la bóveda craneal (o cráneo) y el macizo facial, constituidos por numerosos huesos firmemente unidos entre sí, de modo que componen una sólida estructura. El único hueso móvil es la mandíbula.

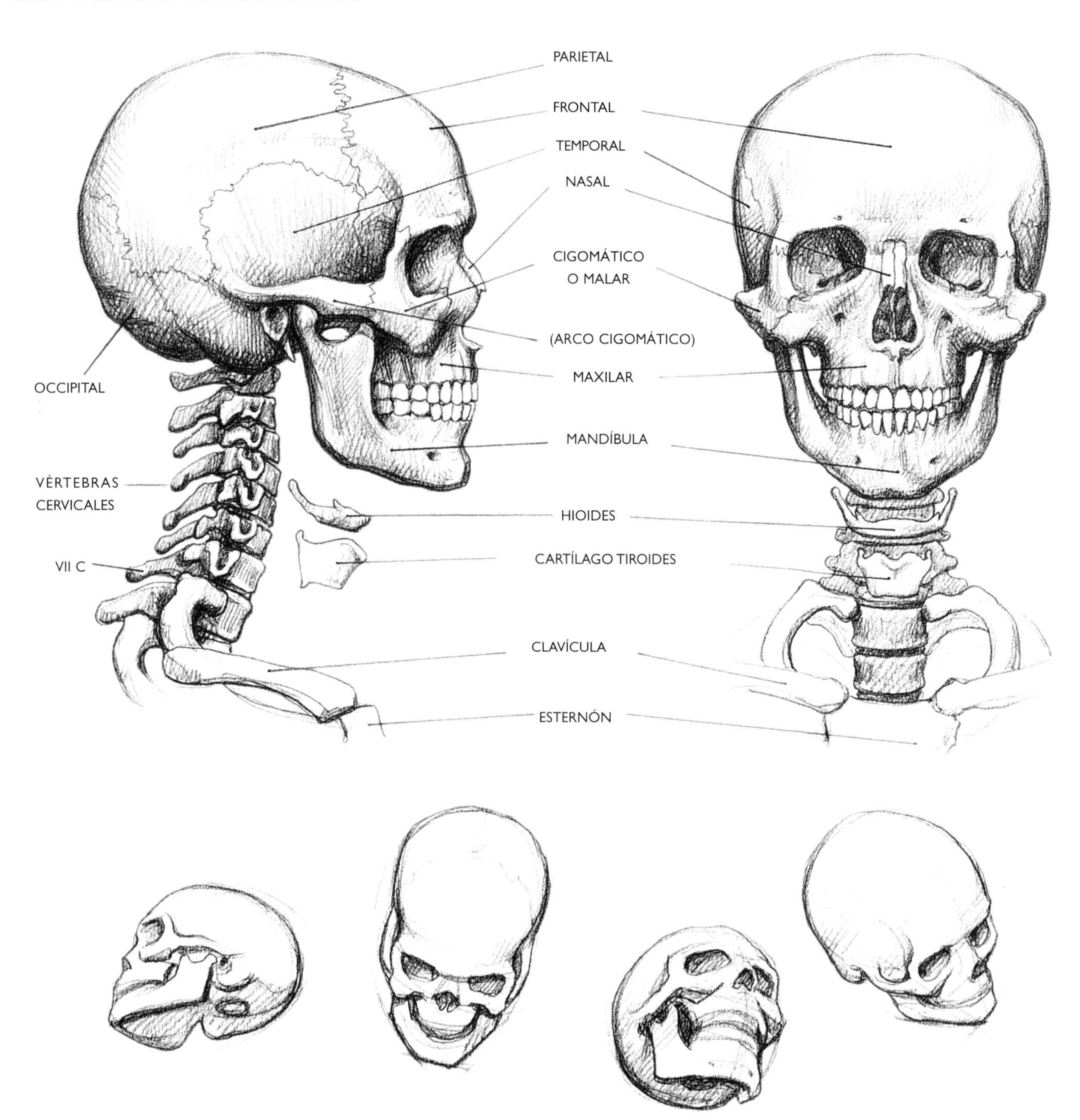

Si se tiene la oportunidad de observar un cráneo auténtico, o bien de comprar una reproducción en material plástico, conviene ejercitarse en dibujar sus líneas fundamentales. Conviene reproducirlo desde diversos puntos de vista, como he indicado en estos rápidos bocetos, y aplicar los principios de perspectiva y de simplificación estructural.

Los músculos

Los músculos de la cabeza se dividen en dos grupos: los mímicos (o cutáneos), responsables de las expresiones fisonómicas, y los masticadores, que mueven la mandíbula. Se estratifican sobre los huecos craneales, cuya forma externa copian bastante fielmente, siendo muy delgados. Asimismo, no hay que pasar por alto el estudio de los principales músculos del cuello, porque, inevitablemente, aparecen en casi todos los retratos.

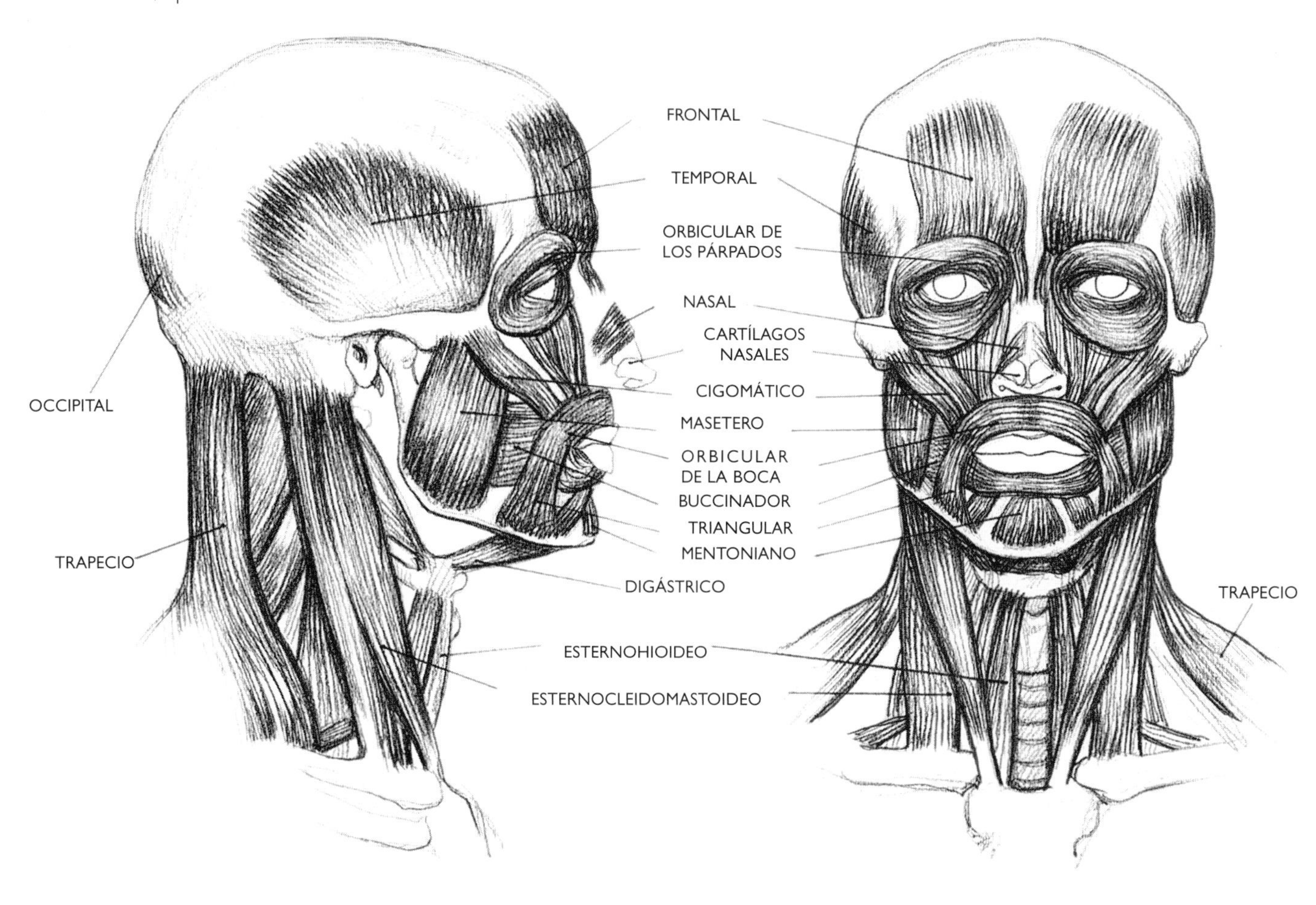

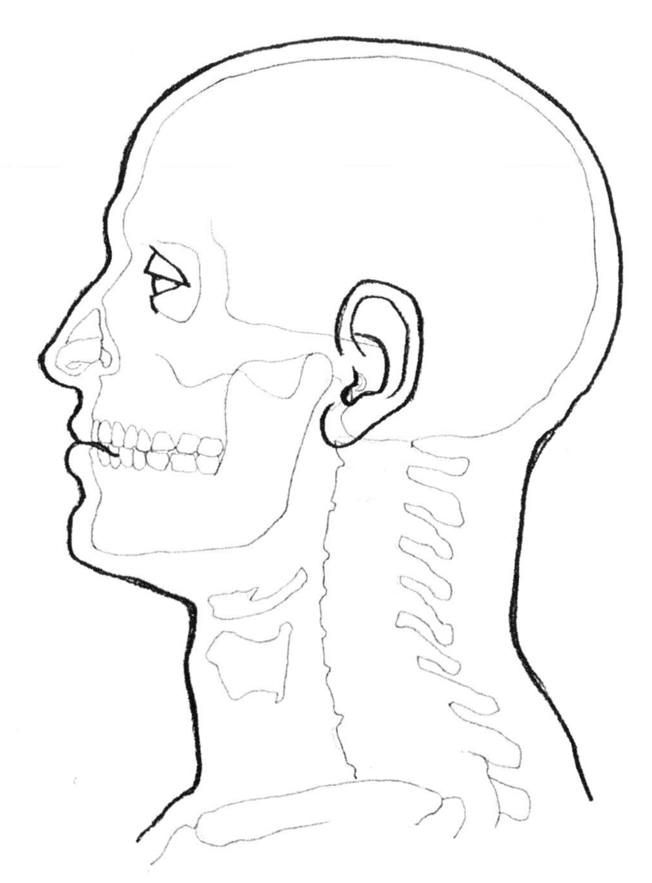

En el esquema reproducido junto a estas líneas he relacionado la estructura ósea con el aspecto morfológico externo de la cabeza masculina.
Examínese atentamente la posición del pabellón de la oreja, del ojo, de los labios. El espesor que media entre la superficie ósea y la superficie externa de la cabeza viene determinado por el estrato muscular, por el tejido adiposo y por la piel.

5 LOS ELEMENTOS DEL ROSTRO

EL OJO

Después de haber examinado la estructura global de la cabeza, es necesario analizar con atención cada uno de los detalles del rostro, es decir, la nariz, los labios, los ojos, etc. Conviene saber reconocer, de cada uno de ellos, sus características morfológicas esenciales, "constructivas" por así decir, sobre cuyo rastro la reproducción precisa de las variaciones individuales conduce a realizar un retrato de un gran parecido. El ojo es, tal vez, el elemento más expresivo y por eso hay que indicarlo en la posición adecuada y con su forma exacta: obsérvese, también, que la parte blanca del globo ocular (la esclerótica) no es igual de blanca que una hoja de papel y que, es más, varía de tonalidades a causa de su sombra propia y de la proyectada por los párpados. Hay que estar atentos a orientar en la misma dirección los globos oculares (y por tanto las pupilas), porque de ello depende la expresión de la mirada.

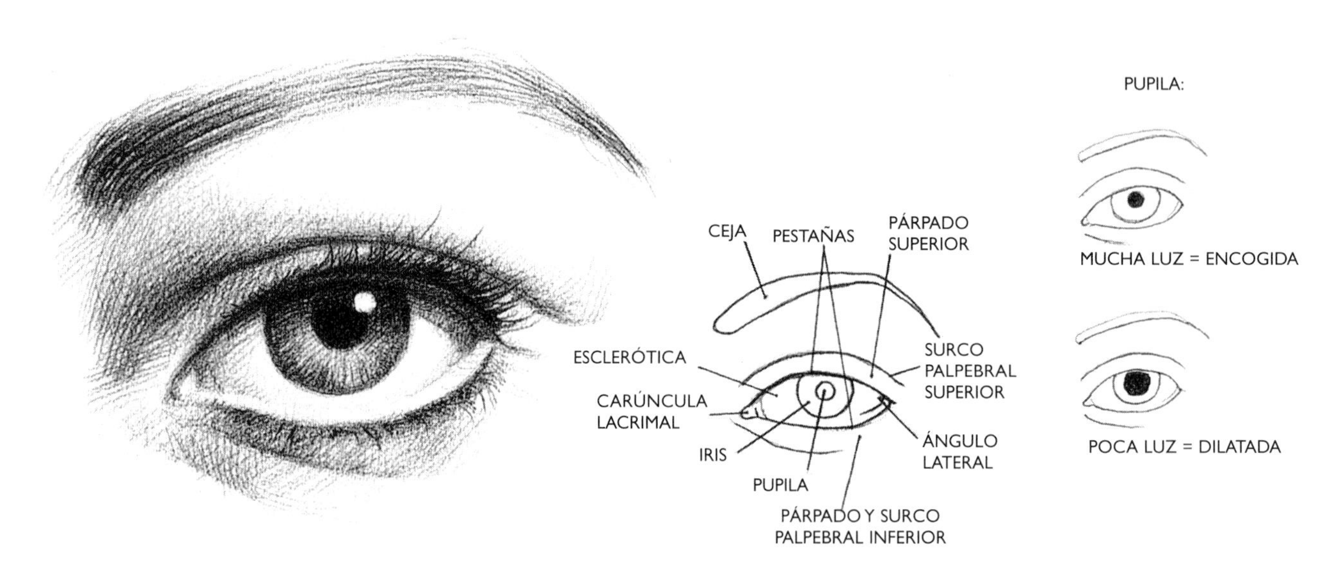

Los esquemas reproducidos bajo estas líneas debieran bastar para sugerir al lector la estructura esférica del ojo, cómo se disponen sobre él los párpados y, por último, algunas fases sucesivas para dibujarlo correctamente.

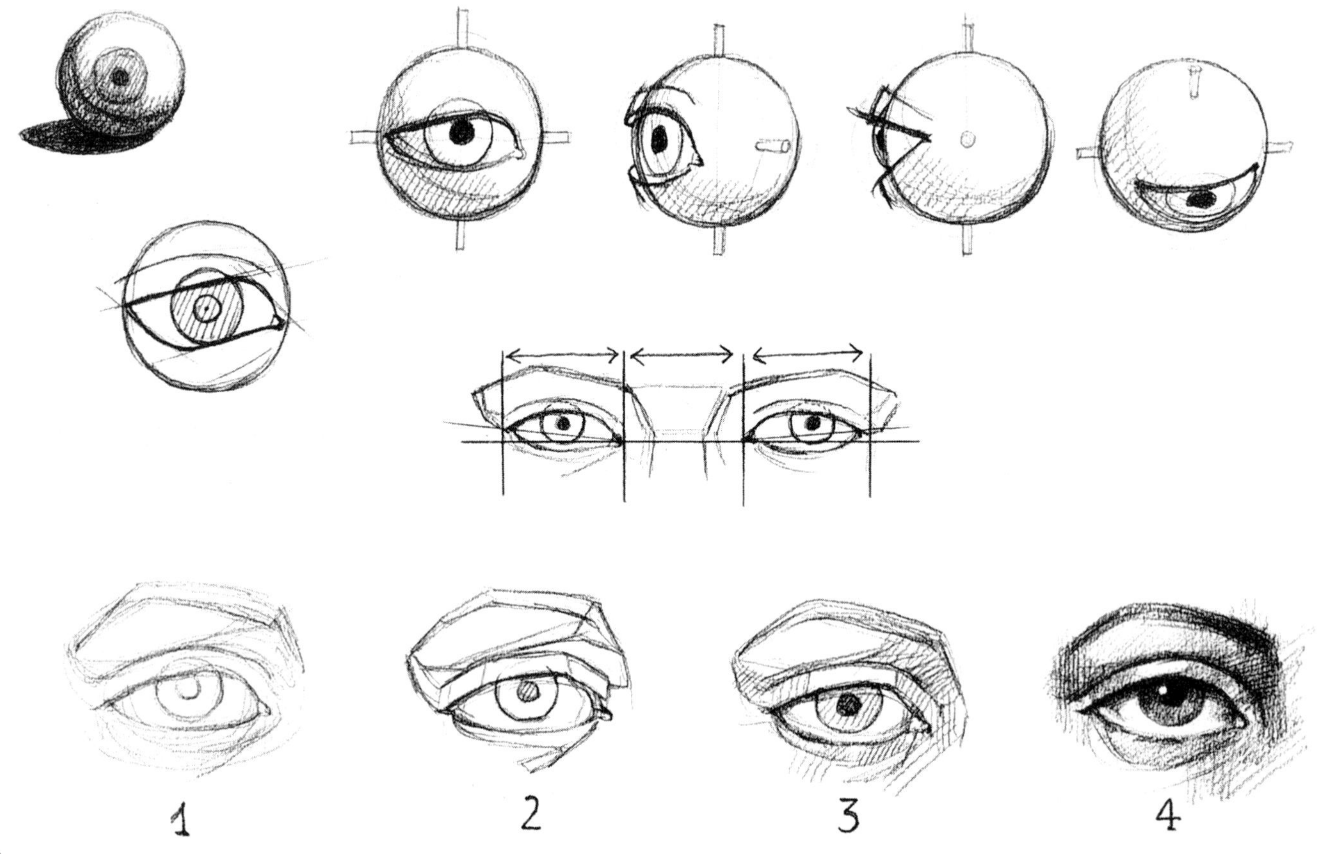

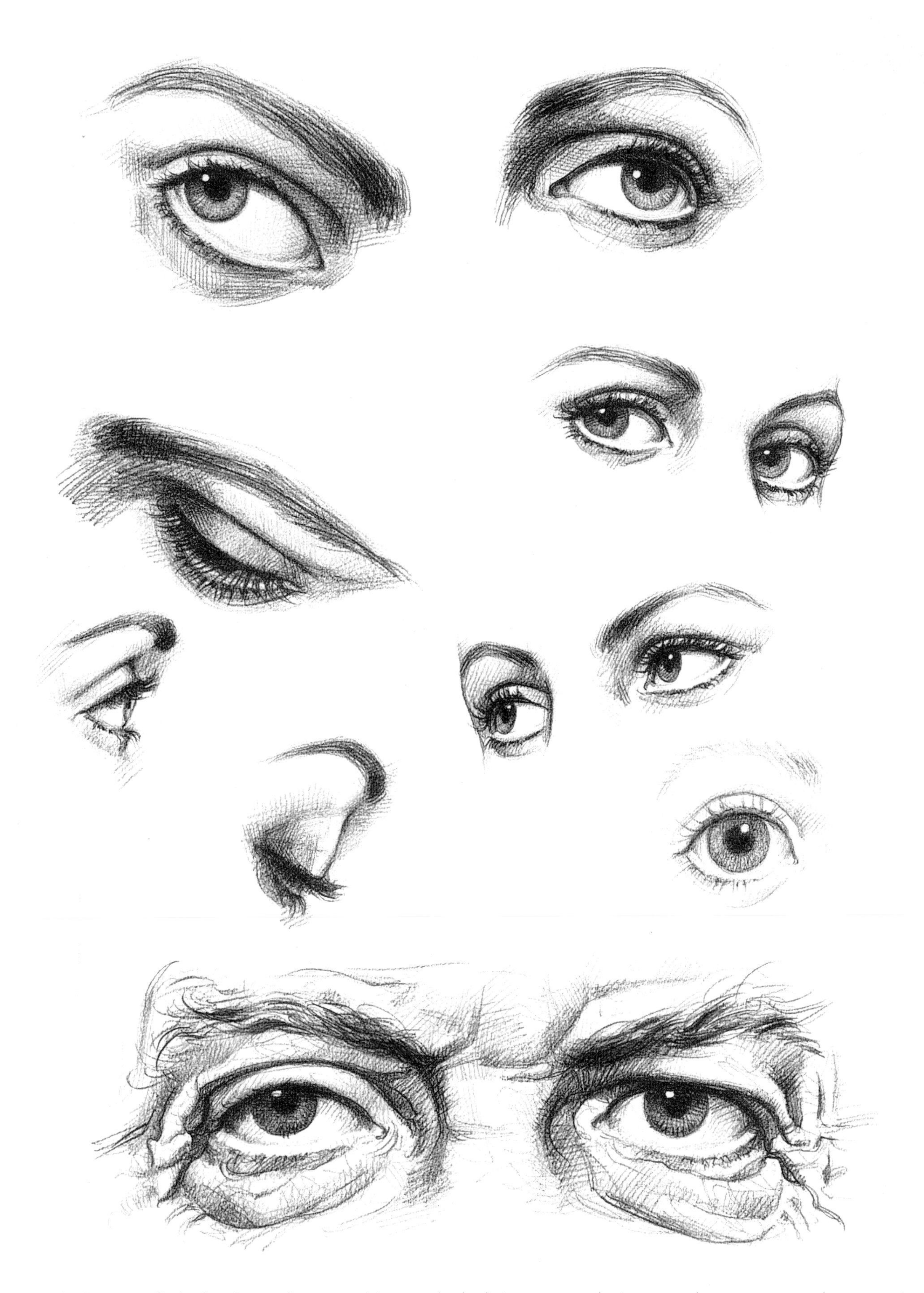

Hay que ejercitarse en dibujar los ojos en diversas posiciones y desde distintos puntos de vista, como he propuesto con los pocos ejemplos reproducidos en esta página. El ojo femenino tiene normalmente las pestañas espesas y largas, y las cejas bien delineadas y delgadas. En el niño, el iris aparece muy grueso respecto a los párpados.
En el anciano se forman numerosas y profundas arrugas que se irradian desde los ángulos laterales de los ojos, los párpados inferiores forman "bolsas" y las cejas se hacen irregularmente espesas e hirsutas.

6 LOS ELEMENTOS DEL ROSTRO LA OREJA

El pabellón de la oreja o auricular es sostenido en gran medida por cartílago fino dispuesto en circunvoluciones. Aun teniendo características morfológicas individuales muy variadas, su forma esencial recuerda la de una concha y es bastante parecida en los dos sexos. Frecuentemente, las orejas están en parte ocultas por los cabellos y su carácter expresivo depende de su colocación exacta a los lados de la cabeza, como indico en los esquemas abajo reproducidos.

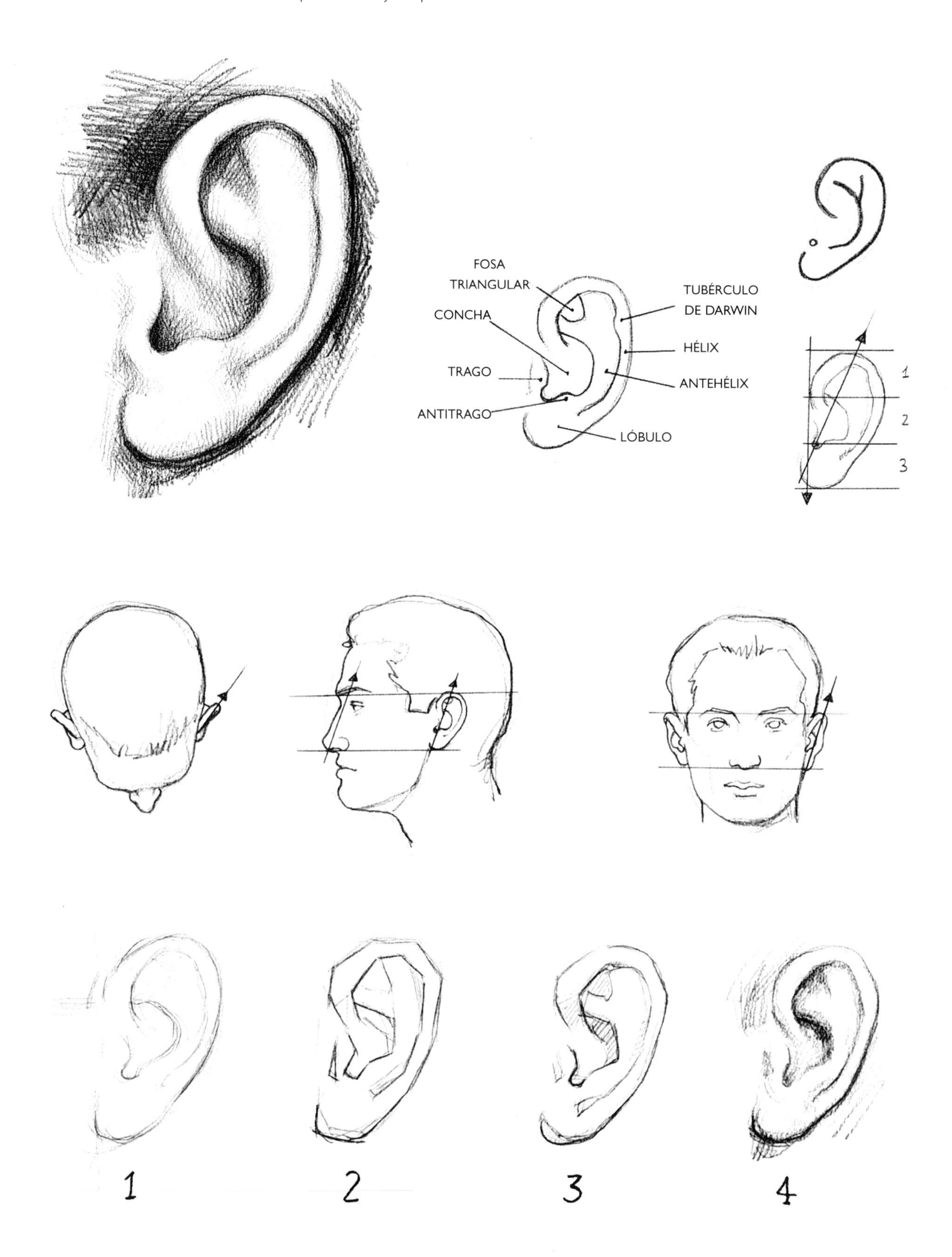

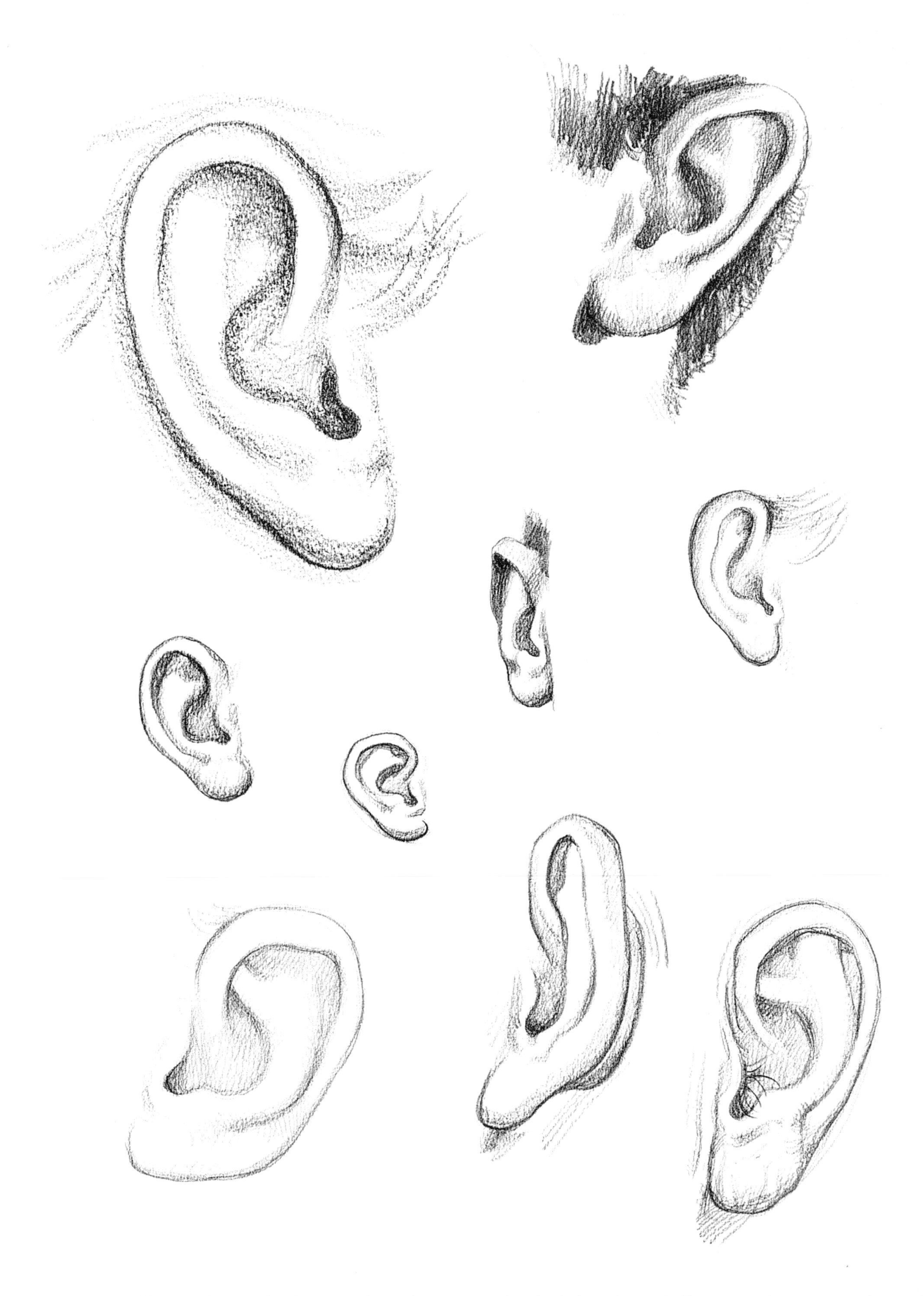

En el adulto, el pabellón auricular tiene la altura que, de media, corresponde a la de la nariz; en el niño, aparece bastante grande en relación con la cabeza; en el anciano, tiende a alargarse, a causa del adelgazamiento y del debilitamiento del tejido cartilaginoso.

7

LOS ELEMENTOS DEL ROSTRO

LA NARIZ

La nariz es más bien difícil de representar debido a que sobresale del rostro y por ello aparece de manera distinta según los puntos desde los que se observa. Su forma piramidal viene determinada en parte por dos pequeños huesos emparejados (huesos nasales) y en parte por cartílagos, algo que se observa especialmente bien sobre su dorso. Observe los esquemas reproducidos en esta página y en la siguiente y ejercítese en dibujar la nariz en diversas posiciones sirviéndose de fotografías, si le parece más fácil para comprender su estructura. Observe que el dorso se aleja de la raíz hasta alcanzar su máximo saliente a nivel de la punta y sus lados se inclinan hacia las mejillas. La base es triangular y en ella se abren las fosas nasales, de forma oval y un poco convergentes hacia la punta, delimitadas por las alas de la nariz. Trate de reconocer las zonas de luz y de sombra más significativas (la máxima luz se halla, normalmente, sobre el dorso y sobre la punta, mientras que la sombra más intensa se encuentra en la base, junto a las fosas nasales) e indique sólo aquéllas, para no "recargar" demasiado el dibujo.

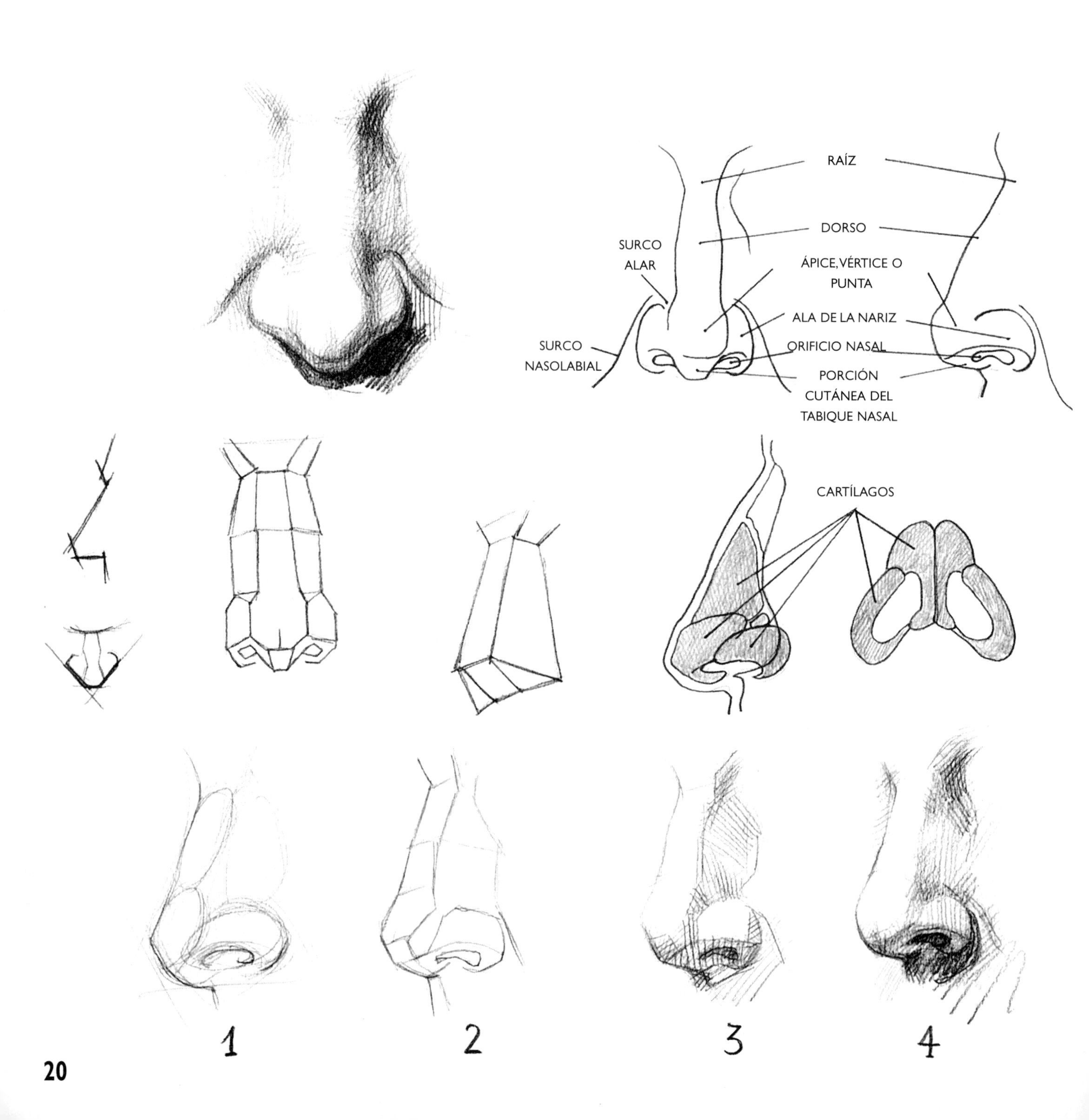

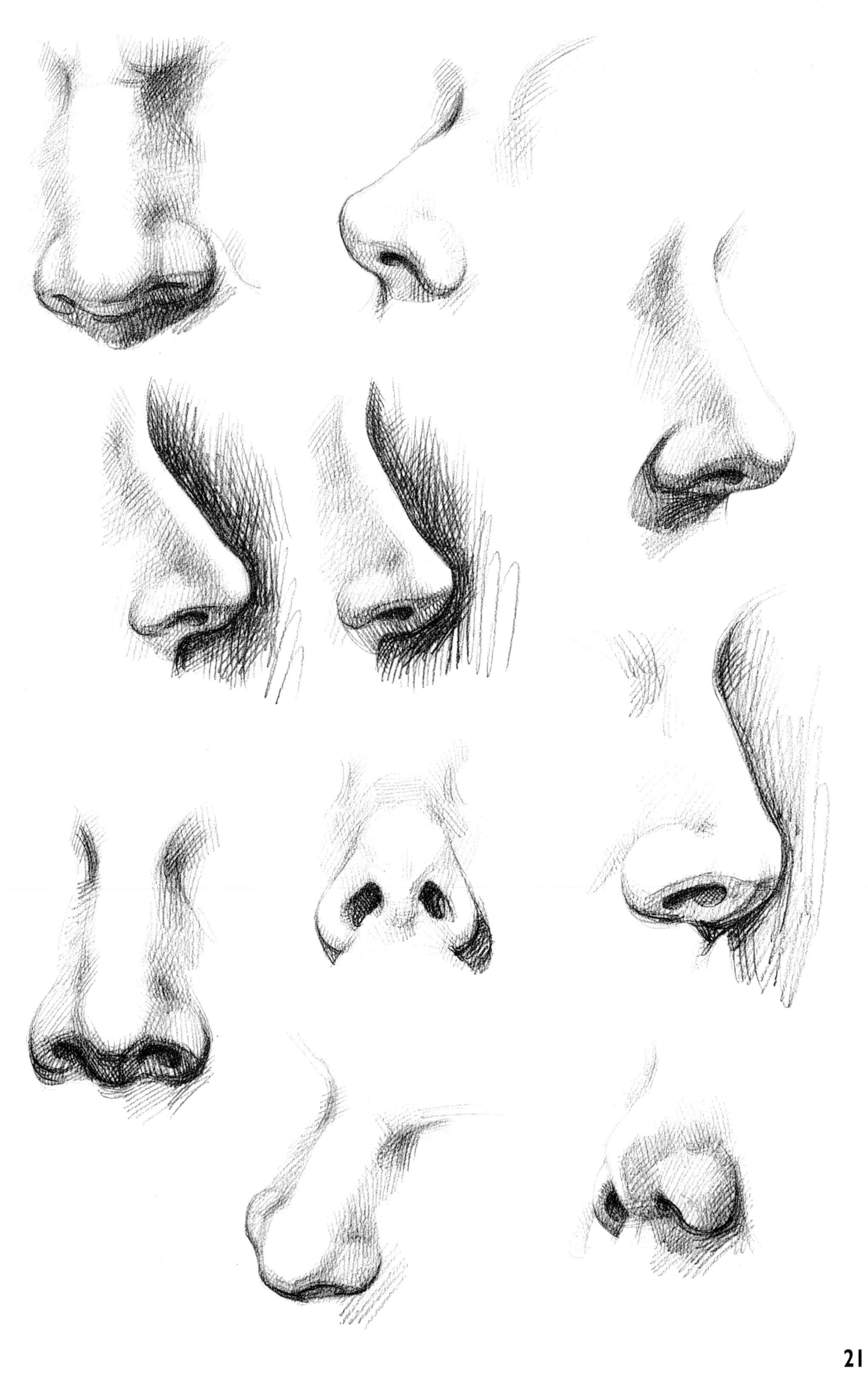

8

LOS ELEMENTOS DEL ROSTRO

LOS LABIOS

En el significado expresivo del rostro, los labios sólo son menos importantes que los ojos. Poseen un color rosáceo porque se corresponden con un tejido de transición entre la mucosa (situada en el interior de la boca) y la piel. Al dibujar los labios hay que estar atento a trazar con cuidado sobre todo la línea que los separa: prestar atención a que se acomode sobre la superficie semicilíndrica de los huesos maxilares y siga las reglas de perspectiva que ya he mencionado. Los sencillos esquemas reproducidos en esta página indican algunas características fundamentales de la morfología labial: obsérvese, por ejemplo, que el labio superior es, normalmente, más delgado que el inferior y también más saliente.

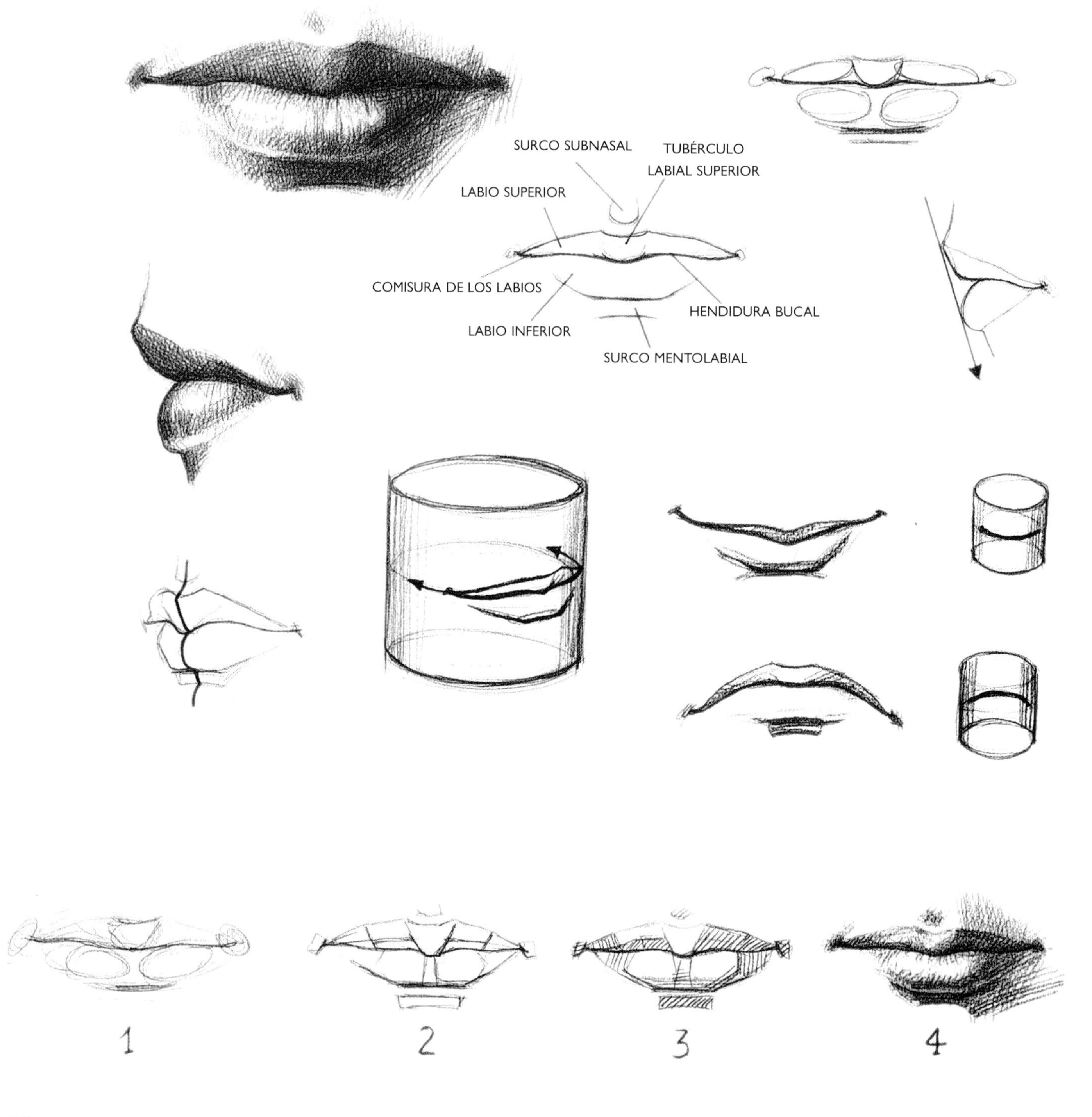

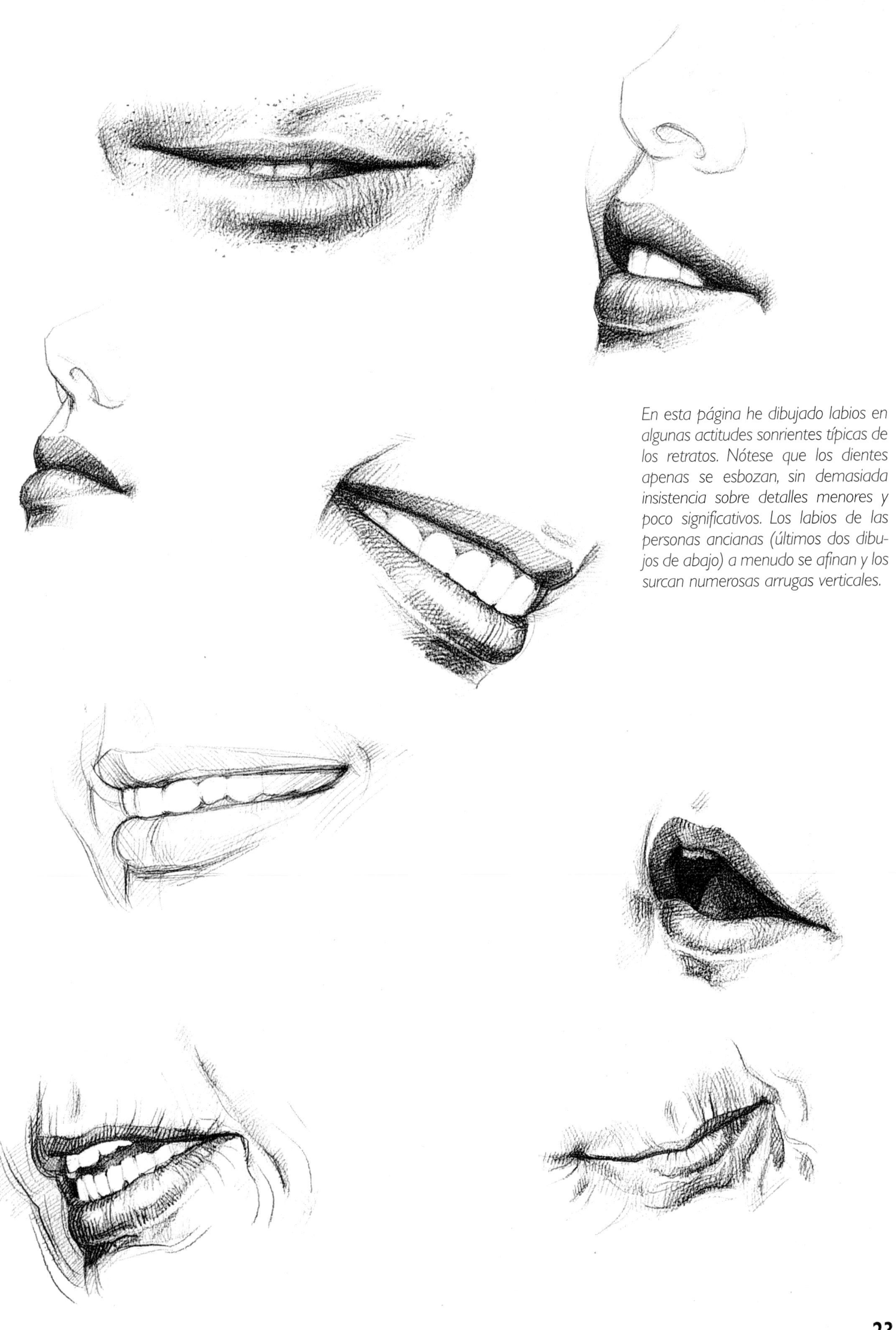

En esta página he dibujado labios en algunas actitudes sonrientes típicas de los retratos. Nótese que los dientes apenas se esbozan, sin demasiada insistencia sobre detalles menores y poco significativos. Los labios de las personas ancianas (últimos dos dibujos de abajo) a menudo se afinan y los surcan numerosas arrugas verticales.

9 LA COMPOSICIÓN DEL RETRATO

La composición es el modo de organizar sobre una superficie (la hoja o lámina de papel en nuestro caso) los elementos constitutivos de la imagen que pretendemos representar. No existen reglas precisas (salvo quizá la de la "sección áurea"), sino más bien principios pertinentes a las modalidades de nuestra percepción visual, por ejemplo la de unidad, de contraste, de equilibrio. En el retrato la composición plantea elecciones por las que optar enseguida: decidir entre dibujo de la figura entera o de la cabeza sola y, en este caso, si de frente, de perfil o de tres cuartos; decidir si insertar el modelo en un ambiente o dejarlo aislado con un "fondo" neutro; decidir las dimensiones del dibujo, o bien si ampliarlo en vertical o en horizontal; etcétera. Debe habituarse a realizar numerosos pequeños bocetos en los cuales valorar estos problemas, como sugiero en las páginas siguientes. Mientras tanto, observe los esquemas reproducidos en esta página, a cada uno de los cuales he añadido algunas consideraciones de "oficio" que pueden orientarse en las primeras elecciones, pero no se deje dominar por fórmulas tradicionales y estereotipadas: experimente también composiciones originales e insólitas.

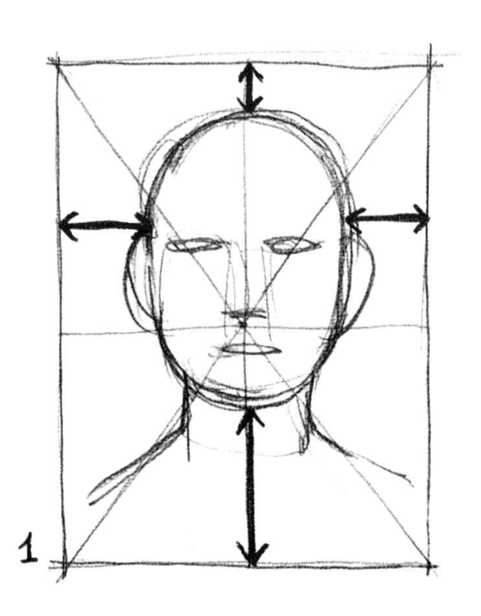

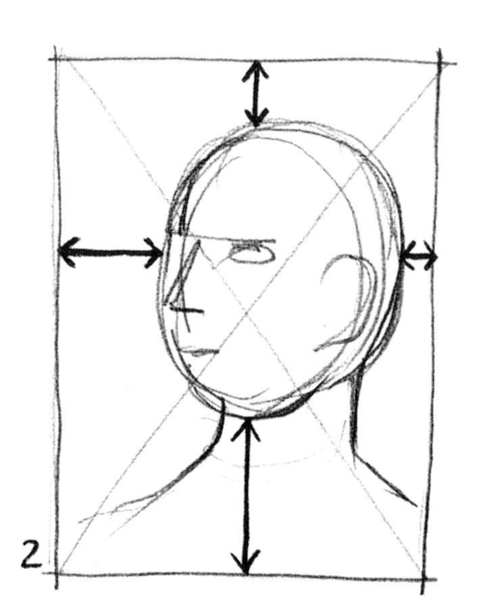

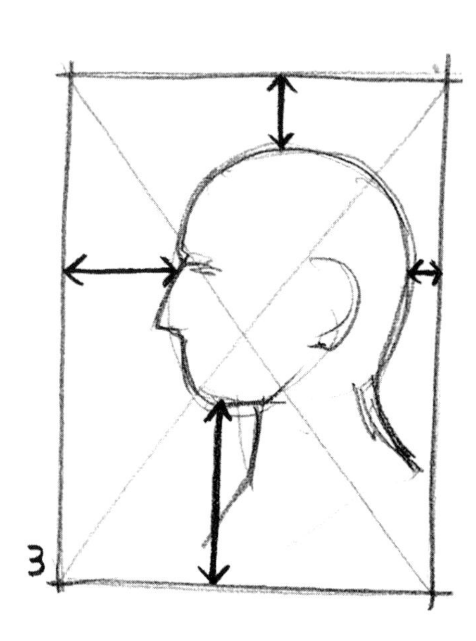

1) En el retrato frontal conviene situar la cabeza no precisamente en el centro geométrico de la lámina, sino un poco más arriba, y dejar a los lados espacios aproximadamente equivalentes. Evite, sin embargo, que la coronilla llegue demasiado cerca del margen de la lámina.
2) En el retrato de tres cuartos está bien dejar un espacio mayor entre la parte frontal del rostro y el margen de la lámina, más bien que en la región posterior.
3) En el retrato de perfil es de buen efecto dejar un espacio amplio delante del rostro. Evite, si es posible, "cortar" el perfil posterior de la cabeza o hacerlo encajar con el margen de la lámina.
4) Una cabeza gacha puede expresar un ánimo abatido.
5-6-7) Un retrato con el tema en primer plano y de cara puede irradiar fuerza y seguridad en uno mismo.
8) La imagen vista desde abajo puede dar una impresión brutal al rostro y de actitud autoritaria: por eso es desaconsejable para un retrato.
9) Se puede lograr un efecto insólito y sugerente cuando el rostro ocupa toda la superficie de la lámina.

Cuando se retrata del natural es siempre útil proceder a un estudio atento del modelo dibujando su cabeza en diversas posiciones y desde diversos puntos de vista. Esto permite valorar en conjunto el aspecto somático y elegir la proyección y la actitud que más fiel y eficazmente expresan los rasgos fisonómicos y el "carácter" del sujeto.

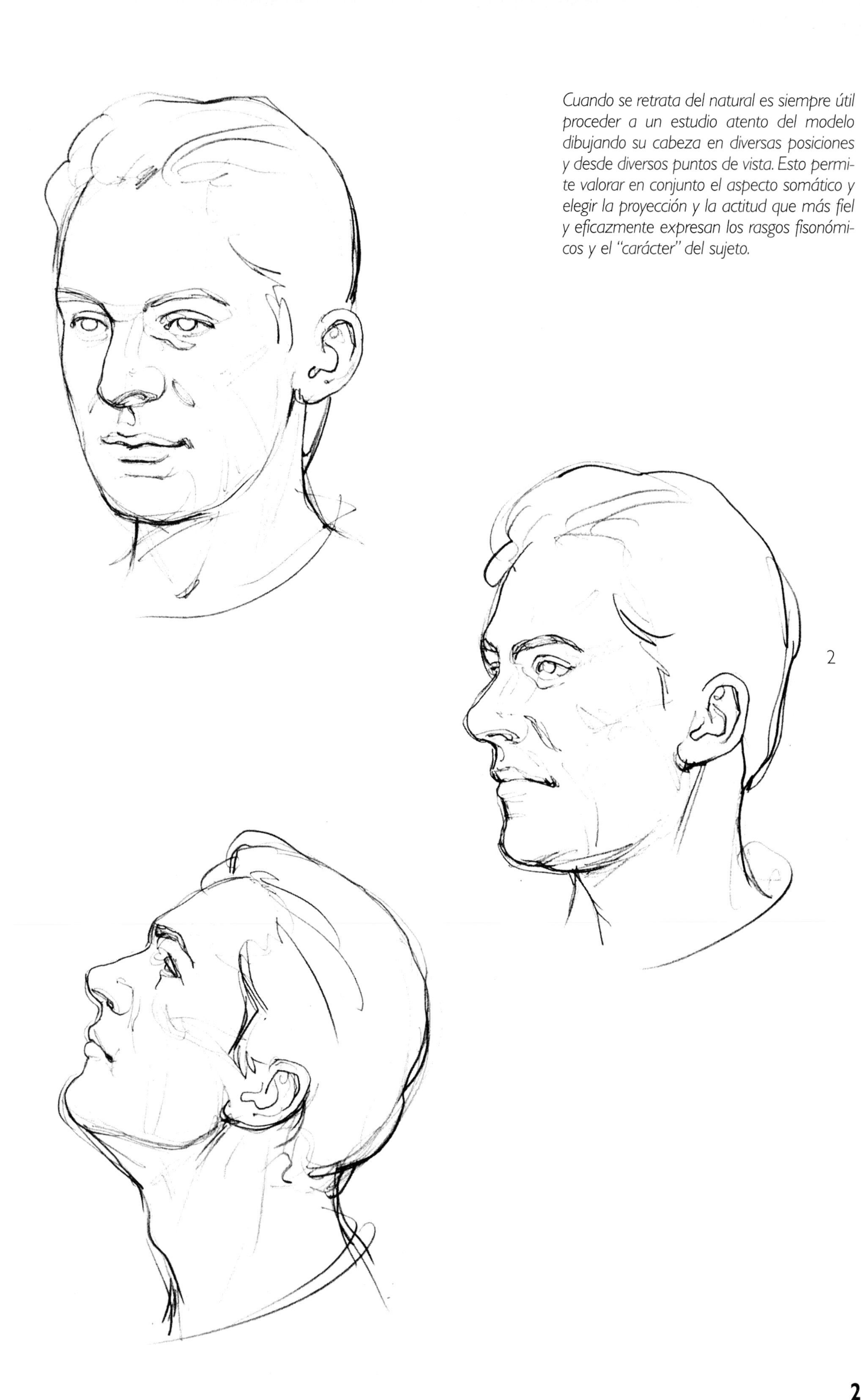

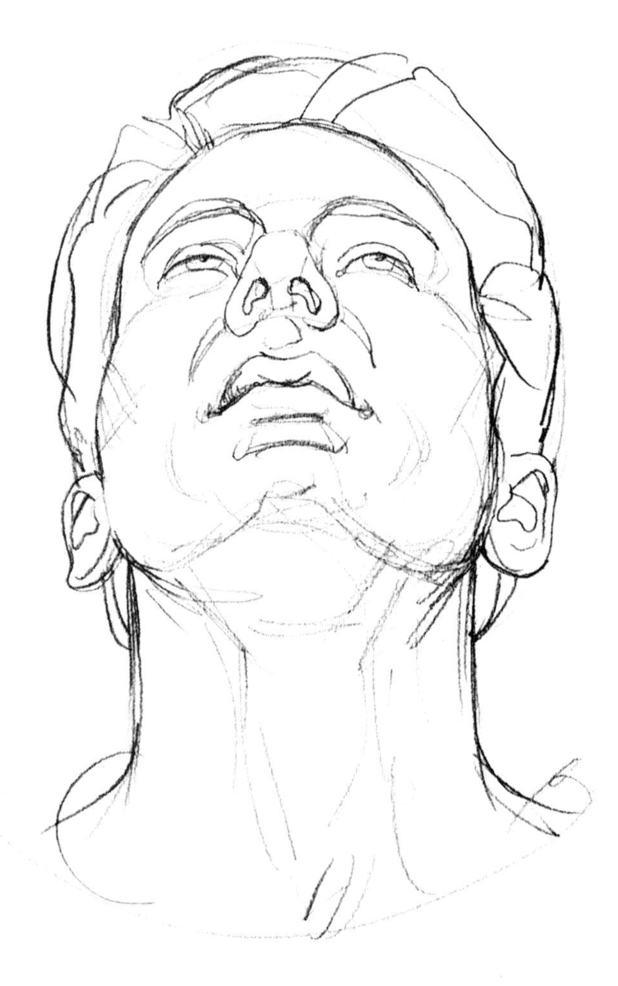

Para trabajar con más calma, se puede, al principio, utilizar la fotografía, pero el dibujo directo es con seguridad mucho más provechoso. Permite, además, explorar nuevos caminos compositivos "dando vueltas", por así decir, al modelo para captar todas sus sutilezas expresivas y apropiarse de la forma global, tan importante para lograr el parecido. Realice estos estudios con trazo sencillo y "limpio", buscando la estructura de la cabeza entera, más que los efectos de claroscuro.

Las mismas consideraciones desarrolladas en las páginas precedentes valen también para el retrato de la figura entera. Aquí se ven reproducidos algunos de los estudios que realicé (a pluma y tinta) para un retrato pintado después al óleo: la postura de la modelo y la composición definitiva se compendian en pág. 29.

En el retrato de figura entera, también las manos, además del rostro, revisten una gran importancia y hace falta buscar su posición más conveniente tanto en cuanto a expresividad como en cuanto a "masa" compositiva. Es este último aspecto el que traté de explorar con los dibujos reproducidos en estas páginas.

Estudio preliminar para un retrato.

Dibujo a pluma y tinta china negra sobre papel, 33 x 48 cm

El brazo derecho apoyado en el respaldo de la silla contrasta con la orientación vertical de todas las demás partes de la figura y hace más "dinámica" la composición.

10 LA ILUMINACIÓN

Cuando se dibuja un retrato es muy importante considerar la dirección, la calidad y la intensidad de la luz que lo ilumina, porque es precisamente por medio de las luces y de las sombras como se tiene la sensación del volumen, de la forma plástica del rostro. Normalmente, para dibujar un retrato se prefiere la luz artificial, fácilmente regulable y constante, en vez de la solar, muy variable en la intensidad y dirección. Una buena iluminación debe poner en evidencia del mejor modo posible las características fisonómicas del sujeto. Evítese, por eso, el empleo de una fuente luminosa demasiado intensa y cercana: es preferible una luz levemente difusa, que no genere sombras oscuras, sobre todo bajo la nariz, los labios y los ojos. Los ejemplos fotográficos reproducidos en estas páginas se realizaron sobre una escultura que modelé recientemente y muestran situaciones algo insólitas o extremas, pero útiles para evidenciar los efectos, positivos y negativos, que pueden producir sobre el rostro. La iluminación más adecuada para un retrato es, de todos modos, la que proviene ligeramente de arriba y desde una dirección comprendida entre la frontal y la lateral. Para hacer difusa la luz, puede anteponerse a la fuente luminosa un vidrio finamente esmerilado, o bien emplear alguno de los conocidos recursos que se usan en fotografía.

Iluminación cenital: es de notable efecto, pero hace falta estar atentos a no crear sombras demasiado oscuras por debajo de las cejas, la nariz y la barbilla. La luz horizontal o rasante puede exagerar los relieves y las depresiones cutáneas.

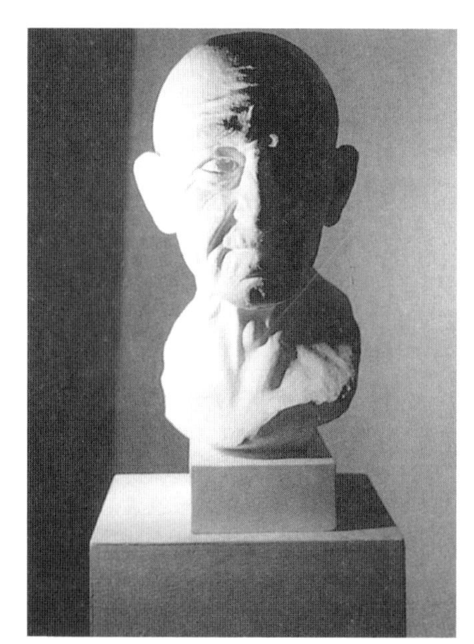

Iluminación lateral: no es adecuada para el retrato, porque divide el rostro en dos mitades contrapuestas: una iluminada y la otra en sombra. A veces, puede ser útil para aportar una sensación de fuerte relieve.

Iluminación casi posterior: llamada "de efecto" o "efectista", no se emplea en el retrato porque hace poco reconocible el parecido del modelo. La silueta (el contraluz), en cambio, puede ser adecuada en el retrato con el rostro de perfil.

Iluminación lateral/posterior: para el retrato no es útil, ya que borra gran parte de la forma del rostro. Puede usarse, en cambio, cuando la cabeza se halla de perfil. Nótese, en este ejemplo, un recurso empleado en el dibujo: la parte oscura de la cabeza se recorta contra el fondo claro y la parte clara contra el fondo oscuro.

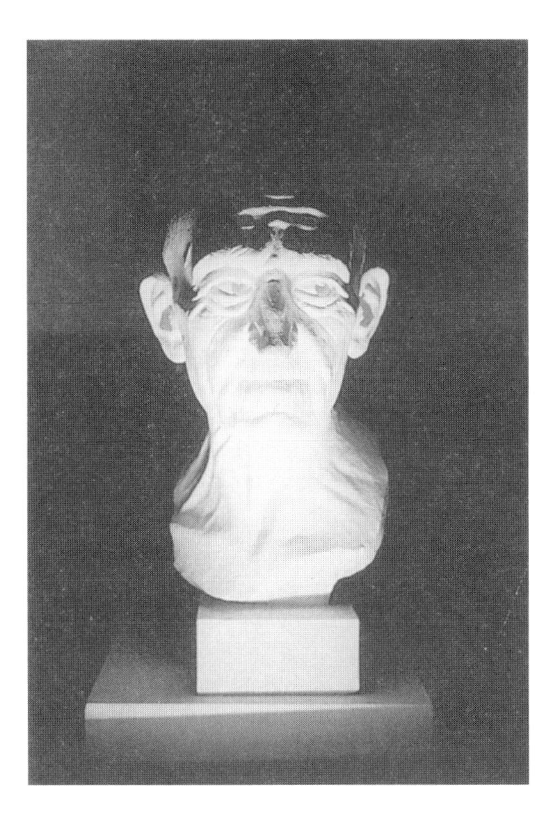

Iluminación desde abajo: es muy "dramática", teatral, y no se usa casi nunca en el retrato porque altera el parecido y desnaturaliza las características del rostro.

Iluminación frontal: es sencilla, pero aplana los detalles del rostro; muy adecuada, en cambio, para el retrato " de línea" y decorativo.

Iluminación angulada desde arriba y de lado: es el tipo de iluminación más frecuentemente usado en el retrato, porque acentúa convenientemente las características fisonómicas y refleja con suficiente eficacia la plasticidad del rostro. Las dos imágenes fotográficas propuestas varían levemente en la inclinación y en la distancia del sujeto respecto a la fuente luminosa.

II EL PROCEDIMIENTO

En este capítulo, hasta la pág. 37, me ha parecido oportuno ilustrar las fases sucesivas a través de las cuales se puede llegar a dibujar un retrato. El procedimiento indicado es más bien escolástico, pero es útil, al menos al principio de la práctica artística. Cuando se hayan asimilado bien los elementos esenciales para caracterizar un rostro, resultará más fácil y espontáneo pasar gradualmente del primer esbozo al dibujo elaborado y encontrar una manera propia de proceder más inmediata y personal. Aconsejo hacer algunos ejercicios de este tipo valiéndose de modelos del natural y de fotografías, tratando de comprender de qué modo, a través de cada fase, se afronta y se resuelve un problema específico y cómo, al término de esta búsqueda "estratificada", se llega a dibujar correctamente una cabeza, al menos desde el punto de vista formal. Conviene usar hojas o láminas de papel blanco de medida no inferior a 30 x 40 cm y lápices de diversa graduación, como ya he indicado.

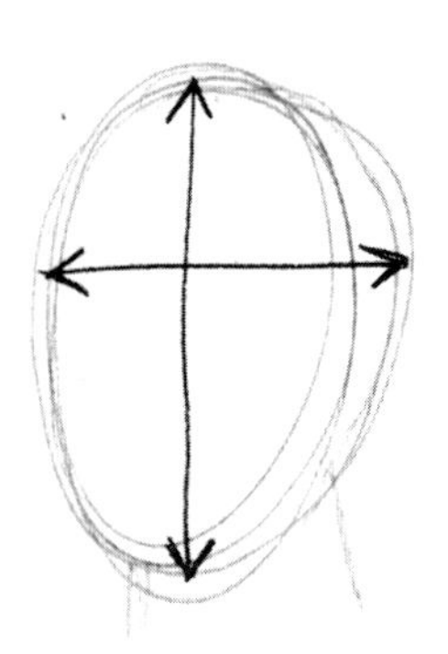

Fase I

Observando con mucha atención al modelo, buscar la relación en la cual la altura máxima se encuentra con la anchura máxima: para hacerlo hay que localizar los puntos del rostro más salientes en sentido lateral y en sentido vertical. Trazar la forma oval esquemática e indicar, según las reglas de la perspectiva, tanto la línea media (curva en esta visión de tres cuartos) como la línea horizontal que dividen en partes el rostro. En este ejemplo las he trazado a nivel de la raíz del cabello, de las cejas, de los ojos, de la base de la nariz y de la hendidura labial. Usar un lápiz o barra de grafito más bien duro (H), que no ensucie la hoja, y trazar las marcas de manera fluida y ligera.

Fase 2

Sobre la base de las primeras "mediciones", proseguir definiendo mejor y situando cuidadosamente los detalles del rostro, es decir, de los ojos, la nariz, los labios y las orejas. Hay que tener presente que la subdivisión del rostro en tres sectores es sólo indicativa: en cambio, se deben buscar en cada individuo sus relaciones proporcionales específicas y respetarlas para lograr el parecido. Esta fase en muy importante, porque establece los cimientos para el desarrollo posterior del dibujo. Hay que esforzarse también por reconocer y trazar, sin apretar mucho, las principales estructuras anatómicas (los huesos subcutáneos, los músculos superficiales, etc.): aquí he insinuado, por ejemplo, los salientes de los pómulos y del hueso frontal, así como la posición de los músculos orbicular de la boca, masetero y esternocleidomastoideo. Seguir usando, aún sin apretar, un lápiz o barra de grafito H, o bien, si se prefiere, uno algo más blando, HB.

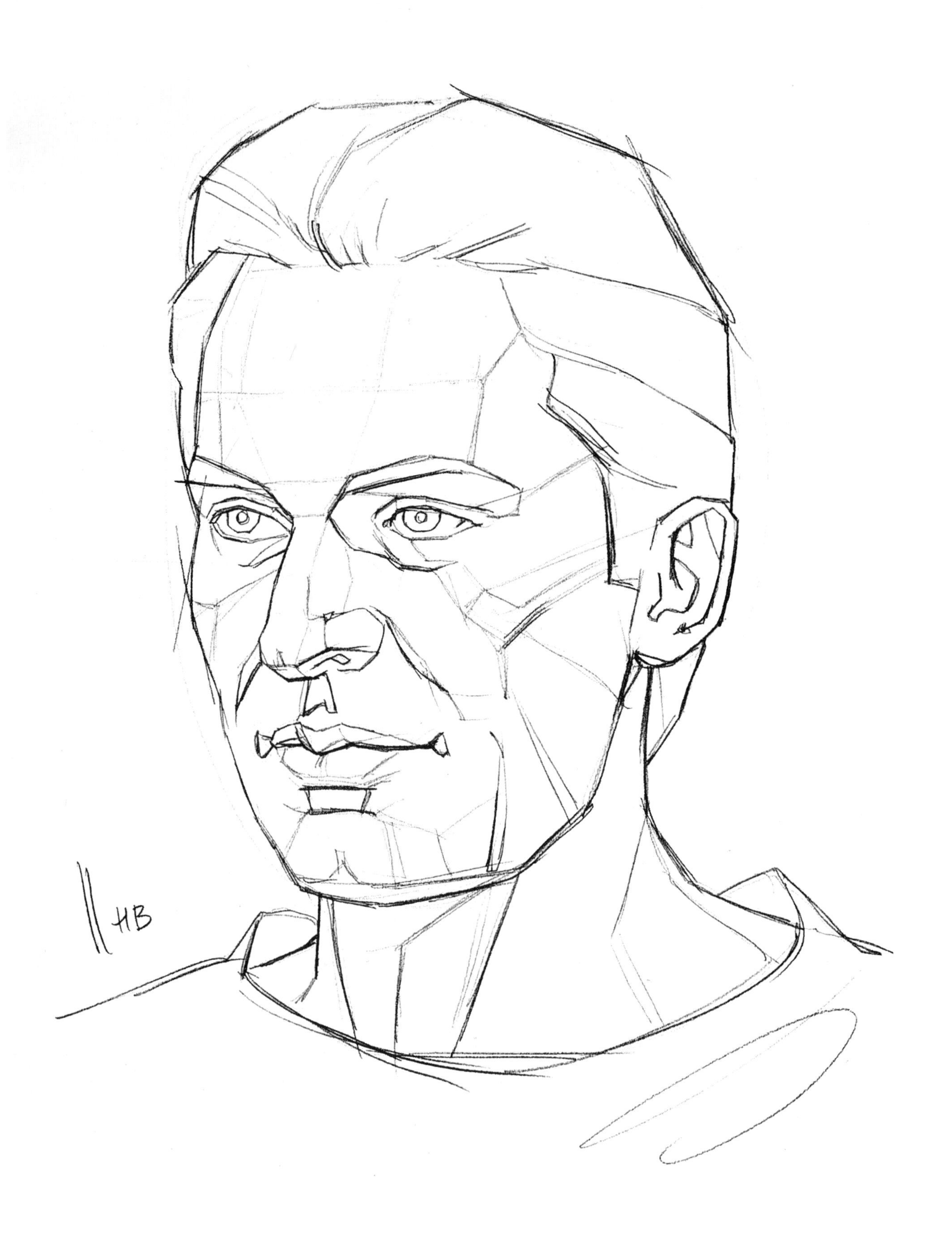

Fase 3

En esta fase conviene concentrarse en el reconocimiento de los "planos" superficiales, es decir, de aquellas áreas que se distinguen, a veces de manera casi imperceptible, por la diferente incidencia de la luz: se trata, en sustancia, de circundar sintéticamente las zonas (tanto iluminadas como en sombra) que, en conjunto, pueden ayudar a aportar una sensación de sólida construcción volumétrica al dibujo de la cabeza que estamos retratando. No hace falta excederse en el uso de trazos rectilíneos, para evitar que la forma resulte "dura", angulosa, si bien una cierta "sequedad" puede ayudar a simplificar los planos tonales con vistas a las fases posteriores. Hay que usar un lápiz o barra de grafito de dureza media, como la HB.

Fase 4

En esta fase se afronta el problema de las sombras, ya reconocidas en el paso anterior, indicando las más amplias, intensas y de mayor significado. Nos daremos cuenta de que las sombras sobre un rostro son de intensidad muy diversa y sumamente complejas: para tener la visión simplificada que se requiere en esta fase, hay que entrecerrar los párpados hasta el punto de entrever sobre el modelo sólo dos tonos: el de las partes del rostro iluminadas y el de las partes en sombra. Conviene usar también en esta fase el lápiz HB, sin apretar y de manera bastante uniforme.

Fase 5

Es esta fase, y eventualmente en las de elaboración posterior, se procede a modelar las formas superficiales del rostro, buscando los tonos intermedios (que en la fase anterior se habían pasado por alto y asimilado en la zona global de sombra). Además se definen los detalles más significativos, por ejemplo los ojos y los labios, acentuando o aligerando las relaciones tonales que definen. Hay que usar todavía un lápiz HB variando la intensidad del trazo: para ello basta apretarlo contra el papel con mayor o menor fuerza. El lápiz H puede servir para indicar áreas de tono muy pálido.

El dibujo en estado avanzado de ejecución conserva algunos restos de las fases anteriores: no hay que borrarlos, sino más bien "ablandarlos" en su conjunto, elaborando posteriormente los tonos y enlazándolos entre sí. En un dibujo es imposible (e inútil) tratar de reproducir todos los matices tonales existentes en la realidad; por tanto, no exagerar en los "últimos toques" ni en las minucias insignificantes, porque un buen dibujo es siempre el resultado de una prudente selección y de una simplificación inteligente y sensible. Las sombras pueden intensificarse en algunos puntos usando un lápiz 2B, que es bastante blando.

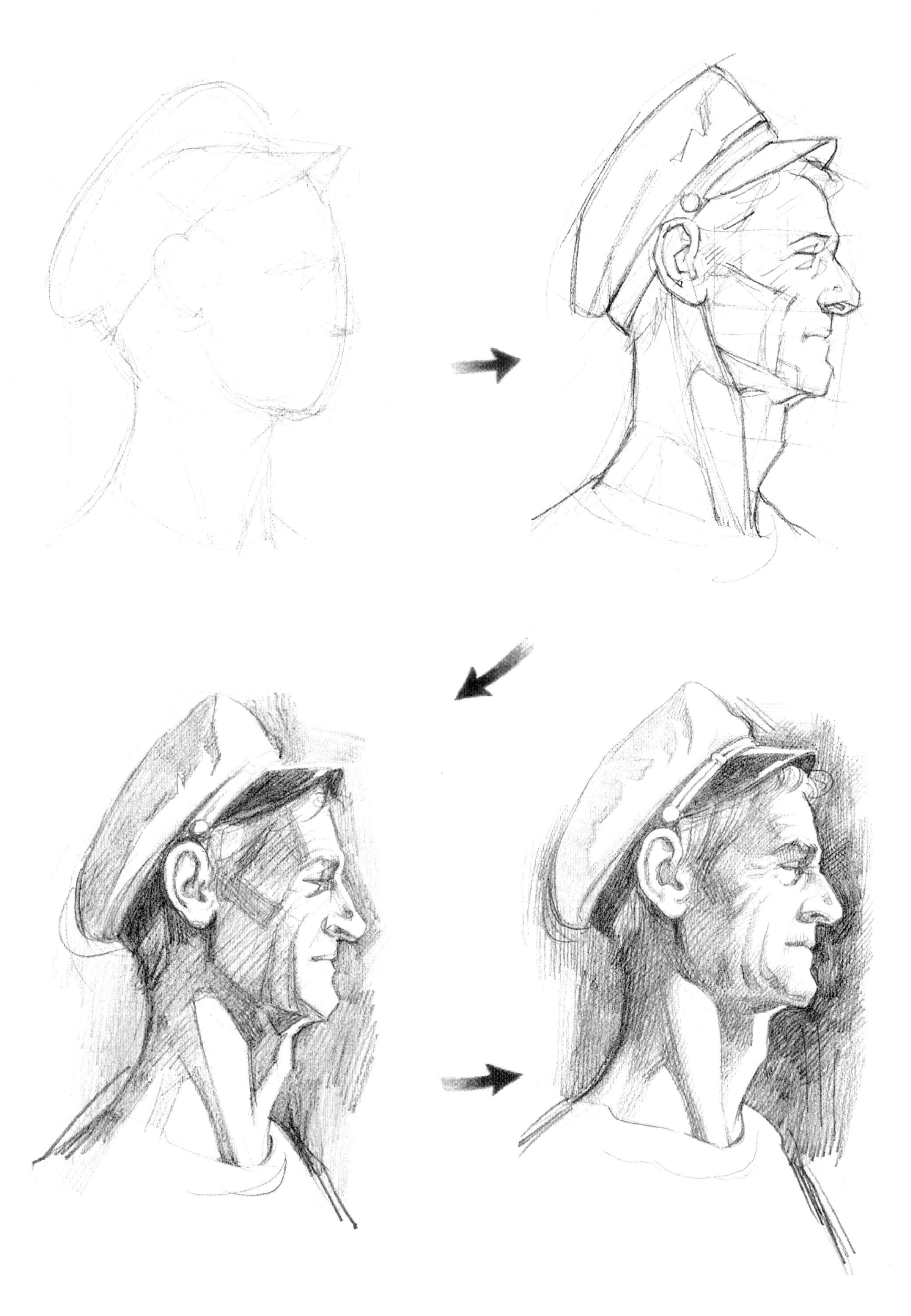

Los esbozos que se ven en esta página son reconstrucciones (realizadas "a posteriori" con fines didácticos) de algunas fases que realizo normalmente, a estas alturas casi instintivamente, cuando dibujo un retrato.

Estudio de retrato: lápiz HB (con añadidos de 2B) sobre papel semirrugoso, 33 x 48 cm.

El carboncillo es adecuado para el retrato, porque permite obtener con rapidez y eficacia el modelado tonal del rostro. El procedimiento es algo distinto del aplicado para el lápiz: con algunos ligeros trazos hay que indicar la zona en la que se dibujará la cabeza y difuminarlos con los dedos o una bola de algodón (fase 1); apretando más sobre el carboncillo, deben oscurecerse las zonas del rostro que aparecen en sombra y volver a difuminar (fase 2); hay que proceder después gradualmente en la búsqueda de los diversos tonos de claroscuro, oscureciendo en algunos puntos y aclarando en otros donde más se refleje la luz (fases 3 y 4). Para borrar o para dejar más claros los tonos, se emplea goma de miga de pan, apretándola con delicadeza y frotando levemente. No hay que excederse en la graduación de los matices para no "debilitar" el dibujo y hacerle asumir un desagradable aspecto fotográfico, lamido. Hay que ocuparse más bien de las grandes masas y de los principales volúmenes del rostro.

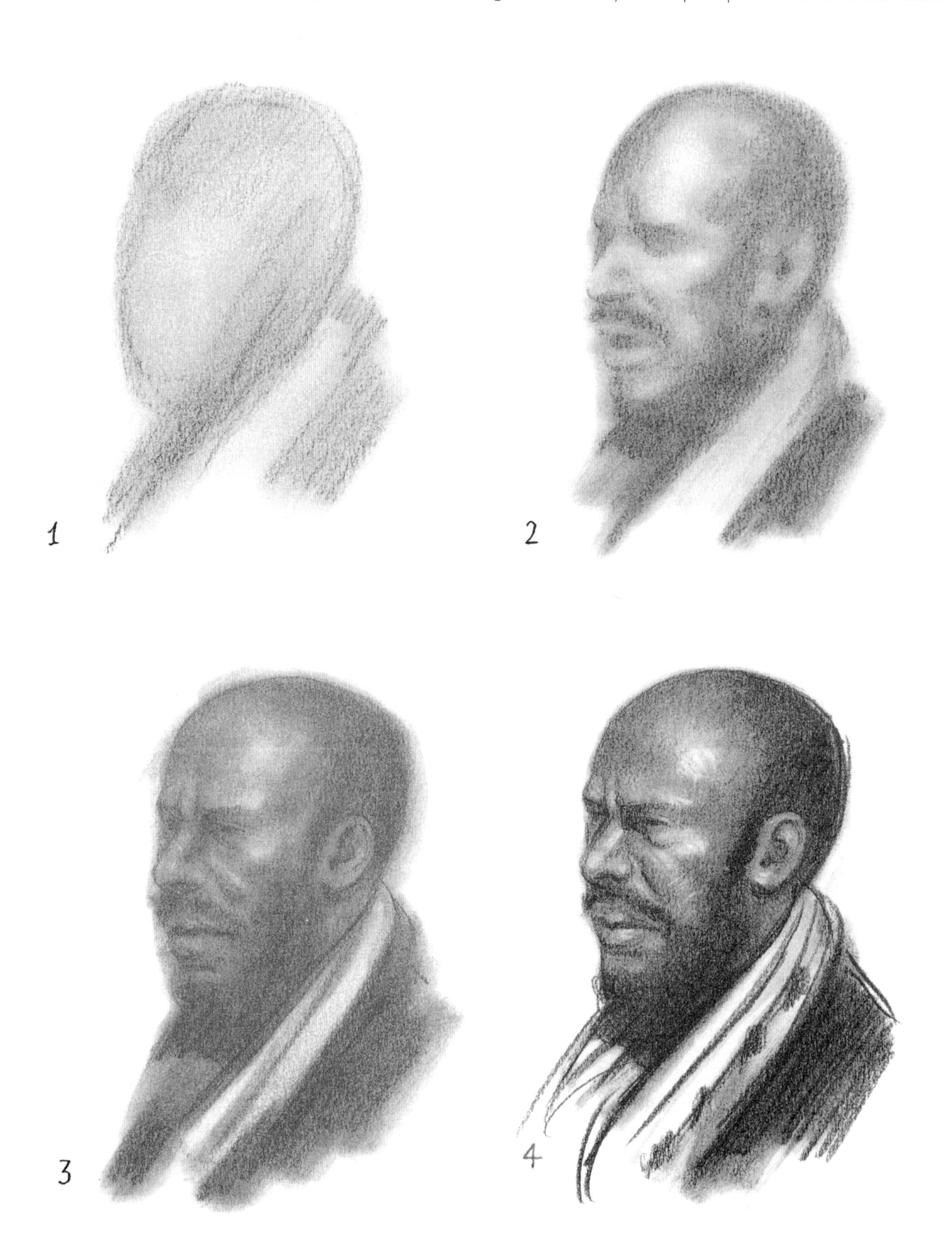

Estudio de retrato: carboncillo en barra, color "sepia", sobre papel semirrugoso, 33 x 48 cm.

12 ESTUDIOS DE RETRATO

En esta sección he recogido una serie de retratos: algunos realizados ex profeso para este libro, otros dibujados con anterioridad. Son casi todos estudios preparatorios para cuadros al óleo, o bien para dibujos más elaborados, y los he elegido porque precisamente los estadios de ejecución intermedios, más que los trabajos "terminados", son adecuados para mostrar de qué manera pueden reconocerse y afrontarse algunos problemas de composición, de pose, de anatomía y de técnica de ejecución.

Lápiz H, HB y 9B sobre papel, 30 x 40 cm.

El retrato de perfil se presta bien para los sujetos jóvenes, sobre todo femeninos. La masa del pelo contrasta con las alineaciones y crea interesantes efectos "gráficos" de composición. Para los cabellos he usado el lápiz HB, difuminado ligeramente con el dedo, y he añadido acentos más oscuros con el 9B, realizando trazos "de plano", es decir, con el lado de la punta.

Carboncillo en barra, color sepia, sobre papel, 30 x 45 cm.

Las expresiones sonrientes pueden dibujarse con eficacia recurriendo a la fotografía, porque, después de breves instantes, la actitud del rostro pierde "frescura" y los rasgos somáticos se resienten de un esfuerzo innatural, si se prolonga, en vez de mantener el aspecto de jovialidad y de simpatía que caracteriza al sujeto. Obsérvese cómo la contracción de los músculos cutáneos determina fruncidos a los lados de los ojos y bajo los párpados inferiores. Los labios se alargan y se alejan levemente: ello puede engañarnos respecto a las proporciones, que deben por eso valorarse con atención sobre el modelo.

Autorretrato. Lápiz HB y 2B sobre papel, 33 x 48 cm.

El modelo que se puede estudiar en todo momento y en cualquier condición: uno mismo. Hay que ejercitarse en dibujar nuestra propia imagen reflejada y no preocuparse demasiado si, al final, no se consigue reconocerse plenamente en el autorretrato: posar es fatigoso y, en poco tiempo, nuestra expresión habitual parecerá "estirada" y dura. Podemos servirnos de la fotografía, naturalmente, como para cualquier otro retrato, pero si se dibuja del natural el resultado es más gratificante. Debe tratarse de captar sobre todo las relaciones proporcionales de la cabeza entera y, en ellas, insertar los detalles. Las gafas, si se llevan constantemente (como en mi caso), entran a formar parte de la fisonomía del rostro y pueden caracterizarlo de manera decisiva: obsérvese, además, que las gafas alteran las dimensiones de los ojos, agrandándolos o empequeñeciéndolos, y ténganse en cuenta las sombras proyectadas por la montura.

Lápiz HB sobre papel, 30 x 40 cm..

El retrato no se limita necesariamente tan sólo al rostro: la figura entera o parte de ella puede caracterizar mejor a la persona representada y crear una composición interesante. Hay que cuidar la estructura anatómica, si bien oculta por las prendas, porque éstas se acomodan sobre los "volúmenes" y el dibujo debe reflejar esta impresión tridimensional.

Lápiz HB sobre papel, 30 x 40 cm.

Los niños son difíciles de retratar, porque se mueven incesantemente y soportan mal ser observados, asumiendo expresiones ceñudas y recelosas. Así pues, hay que servirse de la fotografía y conseguir concentrar la atención del pequeño modelo, ofreciéndole un juego interesante o dejándole ver la televisión. Las proporciones de la cabeza del niño son distintas de las del adulto (por ejemplo, el rostro está más bajo respecto al cráneo), además los cabellos son muy finos y los ojos resultan muy grandes. El dibujo de línea, sencillo, con el claroscuro apenas insinuado, es quizá el más adecuado para expresar la delicadeza de las facciones infantiles, además de una necesidad técnica debida a los rápidos tiempos de ejecución.

Lápiz HB sobre papel, 37 x 45 cm.

Éste es un rápido boceto en el que retraté contemporáneamente a dos personas, madre e hija, concentrándome sobre la mera línea y buscando una composición espontánea e insólita, dispuesta en diagonal.

Lápiz B sobre papel, 34 x 48 cm.

1
2
HB

Barras de grafito H y HB sobre papel, 30 x 46 cm.

Obsérvese, en este dibujo, las características morfológicas del ojo, típico de muchas poblaciones orientales: de hecho, un pliegue cutáneo esconde el párpado superior y hace que los ojos parezcan más alargados. Estúdiense, por eso, las particularidades fisonómicas de los diferentes tipos étnicos (que ahora podemos encontrar fácilmente en nuestras ciudades), si bien tal vez resulte difícil, al menos en las primeras experiencias, hacerles retratos con un gran parecido.

Lápiz sobre papel, 35 x 45 cm.

Puede que resulte conveniente introducir en el dibujo algunos elementos que hagan que el retrato sea menos "formal", como, por ejemplo, la cesta en este estudio. Ello me permitió captar a la persona en una actitud de espontaneidad casual, casi "instantánea".

Los dibujos reproducidos en esta página y la siguiente son estudios que hice del natural para realizar, después, un retrato en escultura. "Di vueltas" en torno al modelo observando desde diversos puntos de vista sus rasgos fisonómicos (puede verse su perfil en pág. 58), y en parte pasé por alto los efectos de claroscuro, porque me interesaba sobre todo comprender la estructura volumétrica de la cabeza.

2/1/90

Lápiz sobre papel, 51 x 63 cm.

La parcial desnudez de la persona puede ser útil para realizar un retrato "sensible" y más cabal y expresivamente, ya que, casi por contraste, exalta su riqueza "interior".

Retrato. Carboncillo sobre papel, 33 x 48 cm.

Para dibujar este estudio me serví de una iluminación débil y lateral, porque me parecía adecuada para destacar el carácter "severo" del sujeto. El esquema reproducido arriba indica las líneas fundamentales de búsqueda de las proporciones.

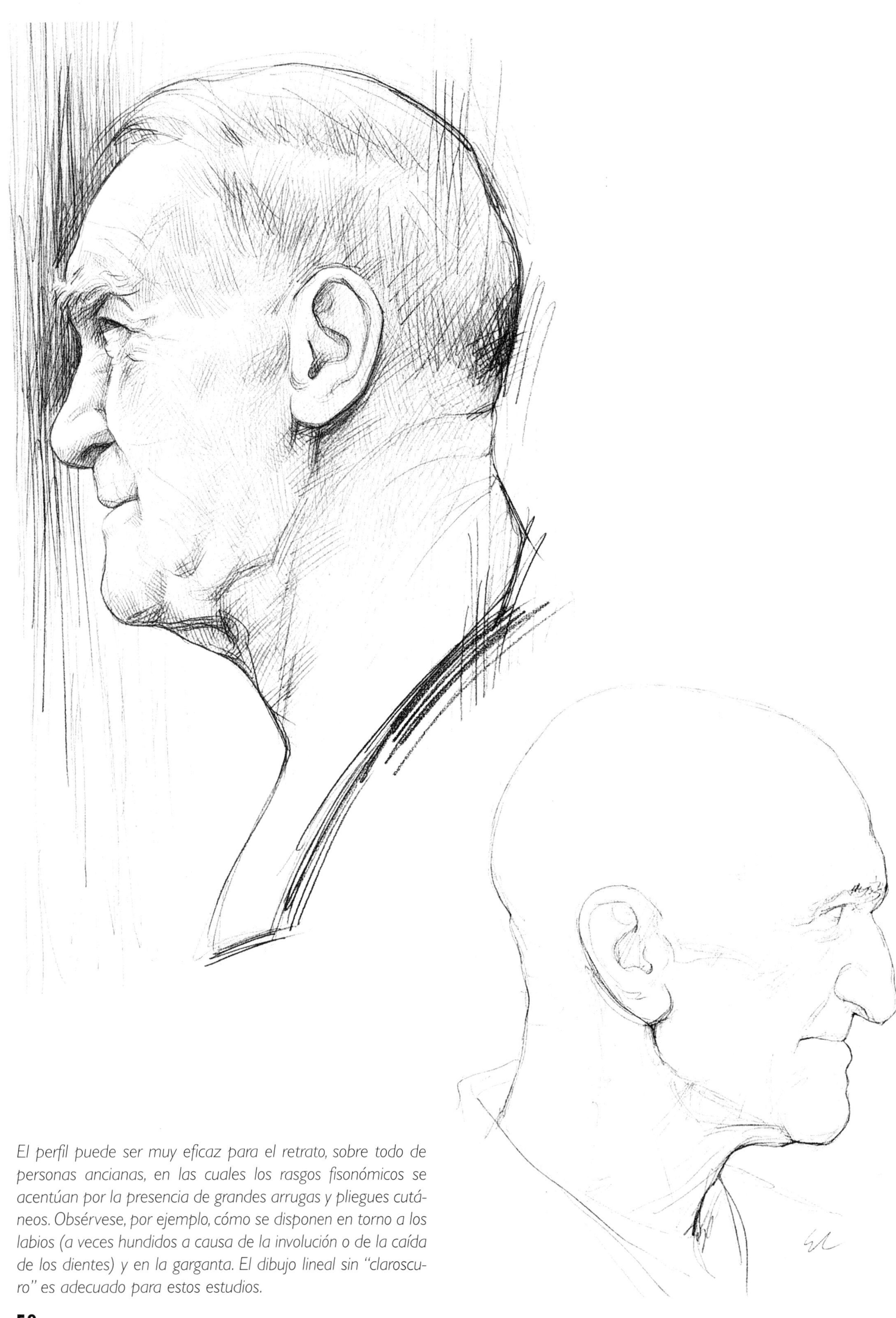

El perfil puede ser muy eficaz para el retrato, sobre todo de personas ancianas, en las cuales los rasgos fisonómicos se acentúan por la presencia de grandes arrugas y pliegues cutáneos. Obsérvese, por ejemplo, cómo se disponen en torno a los labios (a veces hundidos a causa de la involución o de la caída de los dientes) y en la garganta. El dibujo lineal sin "claroscuro" es adecuado para estos estudios.

Este estudio de retrato fue realizado con barra de grafito HB sobre una cartulina de 15 x 20 cm. Con tinta china diluida con agua y extendida con un pincel de marta acentué algunas zonas de sombra. Por último, di una "veladura" sobre toda la superficie a fin de atenuar y uniformar los tonos.

Retrato, barra de grafito HB sobre cartón gris, 14 x 18 cm.

Retrato, barra de grafito HB sobre cartón gris, 13,5 x 18 cm.

13 LAS TÉCNICAS MIXTAS

En estas últimas páginas me ha parecido útil proponer algunos retratos realizados con técnicas más complejas que las presentadas en las partes anteriores de este libro. Se pueden clasificar como "técnicas mixtas" (ver pág. 5) y son adecuadas para realizar obras sugerentes e interesantes, si bien dejando amplia libertad de recurrir a métodos puramente gráficos o bien a métodos más propiamente pictóricos para obtener efectos insólitos y de mayor riqueza expresiva.

Para el dibujo que se ve reproducido (completo en esta página y en un detalle en la siguiente) utilicé pluma y tinta, colores acrílicos, pasteles, lápices carbón y témpera blanca sobre cartón, 51 x 71 cm. El retrato, realizado por encargo, fue publicado como ilustración de una entrevista concedida a una revista por la propia persona retratada. En previsión de este empleo, dejé a la derecha un amplio espacio oscuro (el vestido y el fondo) sobre el que poder hacer resaltar en blanco los caracteres tipográficos de los títulos y de parte del texto.

Este retrato, en el cual predomina el pelo respecto a las facciones del rostro, es insólito, pero muy parecido a la persona retratada, a pesar de la visión casi posterior. Fue pintado con colores acrílicos muy diluidos, usando como soporte la cara rugosa del conglomerado (masonite) (18 x 21 cm) preparado con yeso acrílico.